接続された身体のメランコリー

〈フェイク〉と〈喪失〉の21世紀英米文化

髙村峰生

青土社

接続された身体のメランコリー——〈フェイク〉と〈喪失〉の21世紀英米文化　目次

接続された身体のメランコリー——〈フェイク〉と〈喪失〉の21世紀英米文化

序論

自宅への流刑、あるいは思い出すことすら不穏当なことを思い出すこと

——コロナの時代にカミュとアルトーを読む

危機＝クライシスにおいて書くという意味での批評＝クリティシズムがこれほど要請され、意義を持つ時代は稀である。本書は過去一〇年近くの間に書かれた、主として同時代の英米における文学、映画、音楽についての批評文を集めた論集である。しかし、現在世界を混乱の渦のうちに呑み込んでいる新型コロナウイルスとそれへの対策の内で変貌する私たちの生は、批評を書くという試みそのものにも大きな影を投げかけている。それをまずは言語化しておきたいと思った。この序論においては、カミュとアルトーのテクストの今日における読みの地平を示しながら、コロナ禍の状況だけではなく、過去一〇年ほどを遡行して、世界と人間、技術と身体の関係の近年における変容へと考察の手を伸ばしていく。その考察は、本書の各章の議論の前提となるような文化的・社会的状況についての視座を与えてくれるだろう。

1　コロナの時代に読むカミュの『ペスト』

春の陽光が降り注ぐ中、自分の足音を聞きながら広いキャンパスを歩いていた。二〇二〇年三月の下旬。休みのさなかの大学は例年でも人がまばらだが、この春は輪をかけて閑散としていた。人気のない食堂の横を抜け、階段をあがって大学生協に入ると、色とりどりのパック旅行のチラシが目に入った。食品や文具売り場を越えて、生協のもっとも奥に位置する書籍部の入り口に差し掛かると、そこには新潮文庫版のカミュの『ペスト』（一九四七）が三冊と、中公文庫版のデフォーの『ペスト』

（一七二二）一冊が陳列されていた。

驚きと納得が、ほとんど同時に去来した。いつもは、そこに何が置かれていただろう。あまり記憶がない。最近は大学の書籍の売り上げの上位を占めるのは、ＴＯＥＩＣやＴＯＥＦＬ、ＳＰＩなどの試験対策本だという。おそらく「そうした本」が目立つ場所に置かれているのが見慣れた風景で、だからこそ異変を察知したのだろう――。小説が大学生の重大な関心事でなくなってからすでに久しい。普段、学生にはほとんど不可視である小説は、久々に目立つ場所に引っ張り出されてきたのだった。ところが、今度は学生が不可視の存在になっていた。このような状況下で陳列されたこれらの本を、どれだけの人が手に取っただろうか。

小説が書籍部の店頭に置かれていたこと自体は驚きであったとはいえ、その頃にはすでに、世界中でカミュの『ペスト』が再び注目を集めているということは聞こえていたのだから、作品の選択の意味はすぐに理解できた。世界情勢が過去の文学作品をベストセラーにするというのは、近年しばしば見られる現象である。二〇一六年の米国大統領選挙時には、全体主義や監視社会への不安と結びついて、ジョージ・オーウェルの『一九八四年』やマーガレット・アトウッドの『侍女の物語』などのディストピア小説が、世界中で話題になった。国内の現象としても、二〇〇八年には非正規雇用者の増加などの労働問題にかかわる不安から、小林多喜二の『蟹工船』がよく売れるというようなことがあった。今回の『ペスト』ブームの背景となっているのは、言うまでもなく、二〇二〇年二月頃から見えてきた新型コロナウイルスの本格的な感染の拡大である。こうしてみると、二一世紀に入ってから社会的な不安が人を古典へと立ち返らせるということが繰り返されてきたことが分かる。これは、未知の状態を既知の枠組において理解したいという欲望の高まりを反映しているのかもしれない。

実際、欧米のメディアは、カミュの『ペスト』をコロナの時代を生き抜くための必読本として扱う傾向が強い。二〇二〇年三月一三日付の『タイムズ』の記事は、「『ペスト』がパンデミックの中でどのように振舞うべきかを示してくれる」という副題を持っているし、三月二〇日付の『テレグラフ』掲載の記事は「アルベール・カミュによるパンデミックをサバイブするためのガイド」と題されている[1]。インド版の『ザ・ウィーク』四月一七日の記事などは、コロナ禍を「賢く」生き抜くための六つの「知見」を小説から抽出している[2]。これらの記事に共通するのは、小説に描かれたアルジェリアのオラン市の状況を現代に生きる「我々の状況」と重ね合わせ（それらはしばしば「驚くほどよく似ている」と指摘される）、小説から何かしらの教訓を「学ぶ＝引き出す」という姿勢である。もちろん現実の読書体験は、そのような予め組み立てられた目的に沿うような成果をもたらしはしない。しかし、『ペスト』に描かれたオラン市の「窒息状態」が、以前よりも深刻なリアリティを持つようになったことも確かである。

『ペスト』の冒頭には、ダニエル・デフォーの『ロビンソン・クルーソーの敬虔な内省』（一七二〇）からの引用がエピグラフとして掲げられている。「ある種の監禁状態を他のある種のそれによって表現すること」の正当性を述べた文章である[3]。カミュの『ペスト』は疫病のもとで苦しむ人々を描いただけでなく、「監禁状態」にある人間の苦しみ一般を描いているのであり、自由と閉塞をめぐる実存的な課題を同時代のサルトルと共有している［4］。とりわけ戦時中に書かれた同書は、ナチス政権支配下のフランスの閉塞状況を表現したものとして捉えられてきた。そのことは逆に、この小説の書かれた一九四〇年代のフランス語圏において、ペストという病気は身近な危機として感じられるものではなかったということを示している。世界中で話題になった『ペスト』を読んだ同時代の読者たちは、そこに描かれている感染症の広がりと人々の恐怖を、閉塞や集団的な恐怖を描いた一種の寓話として捉えたのである。しかし今日、世界から隔離された市の中で感染の不安に怯える人たちの恐怖を、読者は何かの比喩ではなく、文字通りの切迫感とともに共有する環境が形成されている。いや、それどころか、我々が見聞きし、体験を強いられている現実は、しばしばこの小説で描かれている世界よりもさらに閉塞感に満ちたものである。

そのことは、コロナ禍において『ペスト』を読むことの特異性を明らかにするだろう。第一章において、人々が「熱病」と呼んでいる流行病の正体がペストであるという確信を次第に強めていく医師のリウーは、カフェに入って気持ちを落ち着けようとする。

その日一日じゅう、リウーは、ペストのことを考えるたびに襲ってくるちょっと頭のくらくらするような気持ちが、だんだんとひどくなってくるのを感じた。とうとう、彼は自分が恐怖にとりつかれていることを認めた。彼は人のいっぱいはいっているカフェに二度もはいった。彼もコタールと同様に、人間的な温かさに触れたい欲求を感じていたのである。彼はそれを愚劣なことだと思ったが、しかしそのおかげでコタールを訪ねる約束をしていたことを思い出した。[5]

医療従事者が、気持ちを落ち着けるために「人のいっぱいはいっているカフェ」を日に二度も訪れる——このことは、「ソーシャル・ディスタンス」という規律を徹底的に叩き込まれた読者を戸惑わせる。リウーが「愚劣」だと思ったのは、もちろん彼が「三密」を避けていないからではない。医師である自分が、ペスト流行の前兆を察知して精神的に動揺し、「人間的な温かさに触れたい」と思っているからである。自分の精神的な軟弱さを、「愚劣」だと考えているのだ。ペストの感染の拡大を防ぐために、小説の第一章の終わりでオラン市は閉鎖され、第二章の冒頭では、「この瞬間から、ペストはわれわれすべての者の事件となった」と語られる[6]。しかし、その後においても、リウーはさまざまな人とカフェやレストランで会っている。

ここでペストという病気について若干の注釈を加えておきたい。ペストには腺ペストと肺ペスト、敗血症ペストの三種の病型があり、ペスト流行時には、感染の流行にともなって主として腺ペストから肺ペストへと病態の異なる段階へと発展し、死亡率も高くなる。腺ペストは、主としてノミを、低頻度でノミから感染したネズミやネコを媒介として感染し、人から人への感染は菌を含む体液への直接的な接触によるものに限定される。一方で、腺ペストから発展して現れる肺ペストは飛沫感染を生じ、人から人に感染する。したがって、ペストの流行地域において会食などを行うことの危険はないわけではないが、少なくとも、感染流行の初期段階におけるリウーの行動をコロナ禍における人々の行動基準に照らして判断することは出来ないとは言いうる。とはいえ、後に見るように、『ペスト』のなかの人物たちも普段は人込みを避けて生活しているとも書かれているし、「隔離」という手段は人類史において、ペスト流行時のヨーロッパにおいて取られた方策であったことも思い出しておきたい。この点からすると、やはりリウーたちがしばしばカフェやレストランなどで人と会っており、そのこと自体のリスクを考慮していないようなのは、奇妙なのである。小説の舞台となっている一九四〇年代においてはそれほど珍しいものではないはずの「マスク」なる言葉も、小説中に一度も出てこない。人間の「監禁状態」を寓話的に描いた小説の中に監禁の「抜け」を見出す我々の感性は、世界の現況がいかに窒息的な状況にあるかを照らし出す。もちろんペストの致死率はコロナとは比べ物にならないほど高いものであり、ペストが蔓延するオラン市の状況が切迫した恐怖を与えるものであるという事実が動くわけではない。ただ、二〇二〇年の現実世界と比べて小説の世界の方が一方的に窮屈に見えるかというと、必ずしもそうではないのである。

このような視点から別の場面を見てみよう。作品の後半では、事態はずっと悪化している。市中における感染は蔓延し、すでに飛沫感染する肺ペストの患者も見られる状態である。しかし、その中でも、コタールとタルーという二人の人物が市立オペラ劇場で上演されているグルックの「オルフェイオスとエウリディケ」（表記方法には数種があるが、訳書に従う）を見に行く場面がある。オラン市がペストの感染拡大を防ぐために封鎖された時に、たまたま折悪しく訪れていたオペラの一団は足止めを余儀なくされ、しかたなく同じ演目を演じ続けているのである。

そういうわけで、数カ月以来、金曜日ごとに、この町の市中劇場では、オルフェイオスの嫋々《じょうじょう》たる嘆きとエウリディケの弱々しい呼び声が響き渡っていたのである。しかしながら、この演題《だしもの》は依然として公衆の人気を博し続け、いつも大入りの成績をあげていた。一番上等の席に陣取ったコタールとタルーのところからは、市民のなかでも最もしゃれた連中で超満員になっている平土間が見おろせた。はいって来る連中は抜かりのない登場ぶりを見せようとして、見ていてもわかるほど一生懸命努めていた。（中略）品のいい会話のかすかなざわめきのなかで、人々は、何時間か前に市《まち》の暗黒な街路の中では失われていた、心の落ち着きを取り戻すのであった。燕尾服がペストを追い払っていたのである。［7］

医師のリウーが人でいっぱいのカフェで気持ちを落ち着けるのと同様、オラン市の人々は劇場に詰め掛けて「心の落ち着きを取り戻す」。このオペラ劇場の場面でも、二〇二〇年の読者には大入り満員の状況が気になってしまうのではないだろうか？　しかし、「燕尾服がペストを追い払っていた」という表現が告げるところは明確である。人びとは、感染の不安や恐怖に抗して、あるいはそれらから逃避して、文化・芸術を求めに劇場に詰め掛けているのだ。「オルフェイオスの嫋々《じょうじょう》たる嘆きとエウリディケの弱々しい呼び声」は、ペスト流行や市のロックダウンを一時にではあれ、忘れさせてくれるものであったに違いない。

オルフェイオスとエウリディケはギリシア神話中の有名なエピソードではあるが、『変身物語』を含む古典悲劇の筋書きではどうなっているか簡単にさらっておこう。琴の名手として知られたオルフェイオスは、妻のエウリディケとギリシアのテッサリア地方に仲睦まじく暮らしていた。ある日、エウリディケが川岸を散歩していると、誤って草の中の毒蛇を踏みつけてしまい、怒った蛇にかまれたエウリディケは命を失う。悲しんだオルフェイオスは冥界に向けて旅立つ。冥界の王ハーデスのもとまでたどり着いたオルフェイオスは琴を弾き、それに聞きほれたハーデスとその妻ペルセポネーは彼に妻を連れて帰ることを許す。ただし、地上に戻るまで一度も振り返ってはいけないという条件を課す。冥界から妻のエウリディケを連れ戻すオルフェイオスは、足跡が聞こえないのを不審に思って、あと少しで地上に戻るところで振り返ってしまい、それによって二人は永遠に引き離される。以上が、この神話の古典的な筋である。

カミュの『ペスト』の中には詳細が描かれていないが、作中で描かれているオペラはグルックが一七六二年のイタリア歌劇をベースに、一八五九年ベルリオーズがフランス語に改訂した人気の演目であるように思われる。このオペラは、オウィディウスの『変身物語』などに描かれている神話とは違って、ハッピーエンディングで終わる。作品最後の第三幕でオルフェイオスがエウリディケを振り返ったところで「愛の神」が現れ、二人を救うのだ。「愛の神」は、神からの禁令を破ってまでもエウリディケのことを振り返ったオルフェイオスの愛の深さを讃え、一度は倒れて息絶えたかに見えたエウリディケは息を吹き返すのである。このようにオペラ作品は悲劇を喜劇へと大胆に脚色しているのであり、オラン市民たちはこの救出劇を自分たちの現在置かれている別離状態からの解放と喜ばしい再会への希望に重ね合わせて鑑賞していた、ということになるのだろう。厳しい日常を忘れさせてくれる歌劇を見るためであれば、オラン市の市民は人が密集する場に行くことをいとわないのである。

しかし、この上演の最中に現実が荒々しく侵入してくる。オペラの第三幕、エウリディケを振り返る重要な場面において、オルフェイオスを演じていた役者が「古代の衣装を着けたまま」倒れてしまい、詰めかけていた観客はパニック状態に陥って、出口に殺到することになるのだ[8]。舞台表象の場にペストという現実が生々しく姿を現し、観客たちはエウリディケと同じく、暗い世界へと引き戻されるのである[9]。

このように、二〇二〇年において『ペスト』を読むとき、以前にはさほど気にならなかったような細部――今見たような人でいっぱいのカフェやオペラ劇場のほか、繁盛する映画館や人で埋め尽くされた教会なども描かれる――に注意を引きつけられる。これら人の密集する空間は疫学的には避けるべきものであるにもかかわらず、精神的にはペストという厳しい現実からの避難所であったのだ。しかし、敵はコロナウイルスとは比べ物にならないほど致死率の高いペストである。一九四〇年代のアルジェリアを舞台としたこの小説の人物たちは、現代に生きる私たちと比べて疫学的な知識に乏しいのだろうか？――おそらく、それもあるだろう。現在のように専門家の意見をさまざまな媒体で見たり聞いたりすることは出来なかっただろうから。だが、「燕尾服がペストを追い払」うというアイロニックな表現は、むしろそのような迷妄を誰も信じていないということを示唆してはいまいか。実際、小説中には、人が密集している場所では感染が起きやすいことを認識していることを示す細部も存在するのである。たとえば、すでにあげたオペラの場面より前の箇所で、電車の乗客たちが「できうるかぎりの範囲で背を向け合って、互いに伝染を避けようとしている」ことが確認される[10]。これは、二〇二〇年の都市部の交通状況を描いた文章に現れてもおかしくない記述である。また、コロナ禍に置かれている多くの人のように、オラン市に住む住民も、「自宅への流刑」のなかで「極度の孤独」に耐えているのである[11]。「自宅への流刑」とは、まったく、二〇二〇年にロックダウンや「自粛」を経験した人々が自己の状況を言い表すのに適切な表現と言えるのではないか。

こうしてみると、オラン市民の行動は感染予防という点では全く一貫していないように見える。ペストが市中で猛威をふるっている時、医師のリウーですら病魔との戦いに疲れ果て、彼や仲間の医師が定めた「衛生規則をなおざりにするようになり」、消毒を忘れたり、十分な予防をせずに「肺ペストにかかった患者のもとへと駆けつけたりするように」なっているのである[12]。このような「いい加減さ」は読者を驚かせる。だが、それは逆に二〇二〇年の私たちの生活がコロナ感染対策予防という一点に向けていかに一貫して組み立てられていたか、ということを示してもいる。そうした意味で、私たちは『ペスト』の中に住まう人物たちと比べると、はるかに数学的＝データ的な存在なのだ。「接触感染アプリ」をダウンロードする私たちは、そのような存在に進んでなろうとしている。たしかに、『ペスト』で描かれている状況は、コロナ禍によって世界で起きている状況と重なりあうところもある。しかし、「パンデミックをサバイブするためのガイド」として『ペスト』を手に取った読者は、思ったような成果をあげることはできないだろう。医師であるリウーは「人間的な温かさに触れたい欲求」にしたがってカフェに行くし、「燕尾服がペストを追い払って」くれることを期待した人々が金曜日ごとのオペラにいそいそと出かける姿も描かれているからである。こんなことで「サバイブ」出来るだろうか。こうした非合理的な行動を「控えるように呼び掛け」られたり、あるいは最低でも公衆の集まる場では感染対策に気を払ったりするのが、二〇二〇年における「新しい生活様式」である。そうした意味では、我々は『ペスト』の人物たちよりも、より厳しく「自宅への流刑」を強いられていると言えるかもしれない。今日、『ペスト』を読むことは、我々の意識や感性がいかに現在の感染状況によって形成されているかを逆に明かし立てるのである。

2 アルトーの不穏当な演劇論

このようなカミュの『ペスト』の読解は、私たちが（今何をすべきかということよりも）今何を喪失しているのかということについてのヒントを与えてくれるかもしれない。この方向で読解を進めるために、カミュの『ペスト』に一〇年近く先立って書かれた全く別のペストをめぐる論考、アントナン・アルトーの「演劇とペスト」（『演劇とその分身』〔一九三八〕所収）を検討してみたい。

一九三三年のソルボンヌでの講演をもとにしたこの論考は、題名に「ペスト」という文字が入っているにもかかわらず、コロナ禍においてもほとんど顧みられていない。その理由は簡単である。ペストそのものを主題とした文章ではないからだ。この奇矯な論考は、感染への恐怖を綴ったものでも、感染対策を提案したものでもない。むしろ、身体の中に眠った力を呼び起こすものとして、アルトーはペストの力を肯定的に捉え、そこに演劇の本質に通じるものを見出しているのである。コロナ禍においては、このような論考を思い出すことすら不穏当であるかもしれない。だが、最初は少部数で出版されながらも世界中に翻訳され、演劇実践や哲学に大きな影響を与えたアルトーの演劇理論が、今はなぜ単に場違いなものに見えるのかを考察するのは、我々が立っている場所を考えるうえでも重要である。

　アルトーの「演劇とペスト」は演劇をめぐる古典的なテクストでありながら、全体の前半を占めるのは一七二〇年にマルセイユを襲ったヨーロッパにおける最後のペスト大流行をめぐるエピソードや、病態をめぐる非常に詳細で描写的な記述である。アルトーのペスト理解を科学的に批判するのは、とてもたやすい。彼は「この病気が一種の精神的実体であり、ウイルスによってもたらされたのではない」と断言するが、それは二重の意味で間違っている[13]。まず、ペストは細菌による感染症でありウイルスによるものではない。そして、アルトーは「精神的実体」という言葉で身体的接触によらない精神的感応力を指しているわけだが、当然ながらペストは細菌によって引き起こされる感染症の一種であり、その機序になんら神秘的なものは存在しない。そして、そのことはアルトーがこの論を執筆した時にはすでに科学的に解明されていた。この時点で、科学的なエビデンスを重んじる立場からは、「演劇とペスト」は読むに値しないと考えられても不思議はない。しかしながら、アルトーのエッセイは、まさにこの「精神的実体」の感染力という問題含みの概念を前提にして展開されていくのである。

アルトーがどのようにその概念を導入しているかを、少し落ち着いてエッセイの冒頭から見ていきたい。というのも、「演劇とペスト」を散文作品として見た時、それをとりわけ印象的なものとしているのは冒頭のエピソードだからである。「一七二〇年の四月の終わりか五月の初めのある夜」、サルデーニャ王の代理をしていたサン＝レミーが夢を見る。それは、自分がペストにかかって、「その小さな国がペストによって荒廃させられる」という内容のものであった[14]。彼は目覚めると、ベイルートから来た船、グラン＝サン＝タントワーヌ号の上陸許可を拒否し、「すぐさま舳先を廻し、帆をあげて町から離れなければ、大砲で撃沈するという命令を下す」[15]。その後、その船はマルセイユに寄港し、歴史的なパンデミックを引き起こすことになる。サン＝レミーの予知夢が、サルデーニャをペストの危機から救ったわけである。ここまで読んだ読者は、このサルデーニャ王の代理の予知夢をめぐるおとぎ話のようなエピソードのどこにポイントがあるのか分からずに戸惑いを覚えるかもしれない。アルトーが次のように述べる時、そのことはゆっくりと明らかになってくる。

このペストはあるウイルスを再活性化させるようであり、それだけでほぼ同程度の被害を及ぼすことが可能であった。全乗組員のうちで、ペストに罹らなかったのは船長だけであるし、しかも新たにペストに罹った者たちは隔離場所に押し込められ、他の者たちと直接接触したとは思われないからである。グラン＝サン＝タントワーヌ号はカリアーリの近くを通り、サルデーニャにペストのお土産を置くことはないが、しかし王の代理は何らかの臭気を夢のなかで受け止めるのである。というのもペストと彼の間には、微妙であるにしろバランスの取れた伝達［une communication pondérable, quoique subtile］が生じていたことを否定できないし、このような病との伝達においては、単なる接触によって伝染が広がったとするのはあまりにも容易であるからだ。

しかしサン＝レミーとペストの関係は、彼の夢のなかでイメージとして解き放たれるには十分強力だったが、それでも彼のうちに病気を出現せしめるほど強力ではない。［16］

繰り返すようだが、この主張は医学的に見ればまったく馬鹿げたものである。アルトーは、ペストに感染した船員の乗っている船が島に近づくだけで、その島の王の代理であるサン＝レミーの間に実質的なコミュニケーションが生じ、彼の夢に作用を及ぼしたと言っているのだ。しかも、彼とペストの関係がより「強力」なものであったならば、「病気を出現せしめる」こともありえたと示唆しているのである。そこまで「強力」ではないから、王の代理は「何らかの臭気を夢のなかで受け止める」というわけである。アルトーはこのような伝達が「単なる接触」によるものではないことを強調している。彼の説においては、距離の近接だけで伝達がなされてしまうということが重要なのだ。そのような「精神的実体」の伝達可能性が、エッセイの後半の演劇論の基礎となっているのである。

さらに注意しておかねばならないことがある。アルトーは、この挿話を「サルデーニャ島のカリアーリという小さな町の古文書」に載っている「驚くべき史実の報告」であるとし、その文書は「誰もがそれを再び見つけることができる」と書いている[17]。ところが、実際には誰もこれを発見したものはいない。最近の研究を参照しても、二〇〇九年の時点においてさえ、「アルトーはこの事件全体を夢想したのだろう」と結論付けられている[18]。アルトーの記述は大変具体的であり、いかにも史実らしく読めるのだが、実際には彼は手の込んだ史実の偽造をしたことになる。そこまでしてアルトーが演劇をペストに結び付けるのは、西洋人がペストの感染力に対して身体的、精神的に抱いていた強力な集合的恐怖心を喚起することが、演劇の革新にとって不可欠であると彼が考えていたからである。危機の感覚のみが、身体の潜勢力を真に引き出すことができる。アルトーがペストを参照するのは、それが西洋において最も強力に恐怖と結びついた一語だからであり、彼は歴史的、経験的に生成するメタファーが身体に及ぼす力を信じていたのである。

コロナ感染症対策の中で登場したさまざまな言葉の中でも、「正しく怖れる」という言葉ほど人間の自然な情動の働きを無視した言葉もない。この言葉は、感染症についての知識なく外出するとリスクがある一方で、感染を怖れて全く外出しないと経済が回らないというダブルバインドの中で苦し紛れに生まれてきたのであるが、もっとも時代を象徴する言葉であると言えるかもしれない。私たちは自分たちの怖れの度合いが適切なものかをモニタリングし、しかる後に怖れるかどうかを判断するという、社会的に適切化された理性を直観的な情動よりも優先することを求められているのである。「ほどよく怖れる」ことが政治的・疫学的に「推奨」される世界において、私たちは「怖れ」を自分たちの個人的な感情の領域から手放しつつあるのかもしれない。私たちは、アルトーがペストを用いて喚起した意味での「怖れ」から疎外されていると言うこともできるだろう。ペストが「黒死病」と呼ばれ、古代から「死の舞踏」をはじめとするさまざまな図像やメメント・モリの主題によって可視的な形で恐怖の感情を喚起してきたのとは対照的に、新型コロナは国別、県別の感染者数、重症者数、死亡者数といった形で徹底的に統計的な数字によって代表＝表象されてきた。数字を怖れるためには知識や理性の働きが必要であり、それはたしかに「正しく怖れる」ための材料としては有用であるのかもしれない。だが、このような事態はとりもなおさず、アルトーが「残酷の演劇」と呼んだものから私たちが疎外されているということでもある。

再度、テクストに立ち戻ろう。アルトーはエッセイの後半において、ペストと演劇の類似性を、言葉を変えて何度も変奏してみせる。そのうちの一つは次のようなものである。

ペストと同じように演劇は、あるものとないものの間、可能なものの潜在性と物質化した自然のなかに実在するものとの間を鎖でつなぐ。それは形象と象徴‐類型の観念を再び見出すのだが、それらは突然目覚めさせられたわれわれの頭のなかに、休止符、延音記号、血流停止、体液の呼びかけ、イメージの炎症性の高まりのように作用する。われわれのうちに眠っているすべての対立を、演劇は形象や象徴の力でもって復元し、われわれが象徴として讃える名前をこれらの力に与える。そしてこうしてわれわれの前に、不可能な足踏みのなかでくんずほぐれつする象徴の戦いが勃発するのである。というのも不可能なものが実際に始まり、舞台を通り過ぎるポエジーが現実化した象徴を供給し過熱させてはじめて演劇があるからである。[19]

アルトーは潜在的なものと実在的なものの接続を睡眠状態と覚醒状態の接続に喩えつつ、両者を架橋する媒介としてペストや演劇を捉えている。彼にとって、人間の身体はペストや演劇にとって受動的な役割を演じているわけではない。ペストや演劇は、身体のうちに眠っていた感覚を呼び起こし、化学反応を起こすのである。そしてそのような中で真の「象徴」が浮上してくることになる。もちろん、ペストと演劇では身体に引き起こす感覚に大きな違いがあると考えるのがふつうである。冷静に考えれば、演劇でどれだけ興奮し、その世界に没入しようとも、身体的な崩壊をきたすことはない。ところが、アルトーは「演劇もペストも一つの危機」である、とここでも類似性を強調する。彼によれば「演劇はひとつの病」である――「それは至上の均衡であり、破壊なしにそれは獲得されない」[20]。アルトーにとって、演劇とは「集団に対して彼らの暗い力能や隠れた力をあらわにし、運命を前にして、それがなければけっしてもつことがなかった英雄的で卓越した態度をとるように集団を促す」ものなのである[21]。

今日、ペストを一種の恩寵とすらみなすアルトーの態度を、文字通りに受け取って熱狂することは難しい。ここには明らかに全体主義につながるような、死という絶対性を根拠とした美学が宿っている。さまざまな論者が、彼の演劇論を非西洋的な身体性を回復させる試みとして、あるいはドゥルーズ＝ガタリの「器官なき身体」という概念を通過させることを通じて、間接的な形で使用しているのも無理はない。しかし、アルトーをたんに類型的に、たとえば「破壊と創造」という文化的原型の一変奏として、捉えていいのだろうか。近接による感染を演劇的想像力の基礎とする彼の議論を、もう少し文字通り受け取ることは出来ないだろうか。アルトーによって指摘されたペストと演劇の類似性を非科学的だからといって退ける時、私たちは何か他のものも同時に失ってはいないだろうか？

3 ウイルスの両義性と触覚的身体

ウイルスを良きものとみなすアルトーの立場を少しだけ、しかも科学の立場から擁護しておこう。今日、アルトーが著作を書き、舞台を演出していた二〇世紀前半に考えられていたよりも、ウイルスははるかに両義的な存在であることが分かっている。ウイルスは病原体として働き、人を病気にしたり、死に至らしめたりする一方、人間を含む生物の遺伝子を書き換え、遺伝子の水平伝播の媒介となりもする。結果、人はウイルス由来の遺伝子を持ち、その一部は実際に身体の機能の役に立っているのだ。進化とは、垂直的に親から子に遺伝として受け継がれていく性質の淘汰によってのみ達成されるわけではないのである[22]。また、ウイルスとの関係において生物は単に受け身の立場にあるわけでもない。ウイルスの中には人に由来するＤＮＡの断片を持っているものも存在する。つまり、ウイルスや細菌は一方的に動植物に侵入する側ではなく、侵入される側でもあったのだ。このように、生物環境はミクロでもマクロでも、きわめてダイナミックな相互的影響関係を伴いながら、全体として変容をし続けているのであり、その中でさまざまな生物が形を変え、増加や減少をし、また、誕生したり消失したりしている。さまざまな生物の間を動き回るウイルスはこうしたプロセス全体を活性化させる重要なプレイヤーである。有機体は他の有機体との接触なしには生き延びることが出来ない。そして、長い目で見れば、生物は感染することなしに形質を環境に最適化することは出来ない。そのことは二〇世紀後半以降の微生物学において着実に分かってきたことであり、現在の生物学において最先端の研究の領野である。植物・菌類ウイルスを専門とする中屋敷均は、人類がウイルスに感染しなければ「我々はヒトになっていない」と述べ、「我々はすでにウイルスと一体化しており、ウイルスがいなければ、我々はヒトではない」と言う[23]。

もちろん、アルトーの「ウイルス」の存在の肯定はこうした科学的事実を背景にしているわけではない。また、人間にとって有害な細菌やウイルスが数多くあることも事実である。ペストはもちろん、新型コロナウイルス感染対策として「隔離」や「社会的距離」が重要であることは間違いがない。また、感染対策を優先するか経済を優先するかといった二者択一的な議論に陥るのも愚かである。その「あいだ」において思考することが重要であるのは明らかだ。コロナ禍における社会や公共衛生、経済のあり方をめぐっては百家争鳴の感がある今日、ここで屋上に屋根を架したいわけではない。そのためには全く異なる議論の組み立てが必要となるだろう。

ここで注目したいのは、カミュの『ペスト』においてリウーが「人間的な温かさに触れたい欲求」

と呼んだものや、アルトーが強調した演劇の身体的な次元が、現代社会が喪失しつつある、空間を共有することによる「触覚＝感染的なもの」の重要性を指し示しているということである[24]。私たちの「触覚＝感染的なもの」からの疎外は、コロナ禍によって急に出現したものではなく、技術の進化、とりわけコンピュータ技術の進化やネットワーク環境の充実によって徐々に進行してきた事態である。そうした傾向は、現在のパンデミック下において社会的・公共的な「正しさ」となった。社会経済の「リモート」化が奨励され、仕事や勉強、ミーティングなどがオンラインを通じたものに代替された。また、「人間の温かさに触れたい」向きにはオンライン飲み会が提唱された。このようなことを、多くの人々は「本来的でない」と思いつつも、当面の代替手段として行っている。が、いったん社会の変化が決定的になれば、感染が終息しても、「適切な距離」は私たちの生活スタイルの標準として残り続けるだろう。人と人の身体的な対面や、触れ合いの大切さを単に懐古的に対置しようというのではない。私がここで強調したいのは、価値観の問題であるよりは、触覚的身体の変容という、人類史的に重要な局面を私たちが迎えつつあるという事実である。近接的なものが遠隔的なものによって置き換えられていく傾向は、コロナ禍によって加速し、感染状況が収まっても、少なくとも部分的には継続することだろう。そのことは人類に何をもたらすだろうか。

ジョンズ・ホプキンス大学が日々更新する新型コロナウイルスの感染者数、重症者数、死亡者数などの国別のデータ（およびそれに基づくさまざまなデータ）は、現在、世界の人々の意識と行動に大きな影響を与えている。それは、感染の広がりを数字によって可視化するだけでなく、私たちを数字的な存在にする。コロナ禍の前から、身体はすでにかなりの程度、数字的なものであった。健康診断の結果には多種多様な数字が並んでいるし、日々の消費カロリーや睡眠時間も測れるようになり、私たちは自分の健康をより効率的、合理的に管理できるようになった。そして、こうしたことが「生きる」というプロジェクトの重要な一部となっているのだ。それを管理するのは、個人であり、社会であり、国家である。他者との「接触」を避け、「適切な距離」を取るといった公衆衛生的な自己管理の呼びかけは、このような「身体の数字化」という体制と同根である。「身体の数字化」をもっとも象徴的に示すのは、二〇二〇年においてその語義を公的に定着させた「濃厚接触」という言葉である。それは、感染者と空間的に近い距離にいることを意味し、もはや身体的に「濃厚に接触する」ということを意味することはないだろう。二〇二〇年以前であったら個人的な他者との身体を通じた体験を想起させたに違いない「濃厚接触」という言葉は、社会や国家の言葉として登録されることとなった。その背後にあるのが、人間の数字化であり、人間の行動の数字化である。「濃厚接触」とは、数字的に測ることのできるスケールになったのである。感染者との接触を通知する「接触確認アプリ」などについても同様のことが言えるだろう。こうした一つ一つは些末に見える変化が、私たちの「触覚＝感染的なもの」をめぐる感性を、社会や国家による統制的な原理によって代替していっているのである[25]。

コロナ禍を受けて出版されたスラヴォイ・ジジェクの『パンデミック』と大澤真幸の『コロナ時代の哲学』は、ともに冒頭において、新約聖書の『ヨハネによる福音書』二〇章一七節にある、「私に触れるな（ノリ・メ・タンゲレ）」という挿話を紹介している[26]。「私に触れるな」とは、復活したキリストが、その最初の発見者であるマグダラのマリアに対して発した言葉である。私たちは、コロナ禍において、この禁令をよく聞くことになった。ジジェクはこの時代象徴的な禁令を否定せず、「身体的距離が逆に他者とのつながりの密度を高めるという希望」を語るのに対し、大澤は、このキリストの「私に触れるな」という禁止は、キリストがそれまでに、癩病患者に触れることで治癒するという奇跡を成し遂げていたことを背景としていると言う〔27〕。イエスが人に触れるということはキリスト教の宗教的な想像力の核となるような重要な行為であり、だからこそそれを拒むというエピソードもまた重要性を持つということである。大澤は、私たちが今置かれている状況を批判的に読むために、この「私に触れるな」のエピソードを用いている。

確かに、磔刑死の後の復活に際して、イエスは言う。もはや私に触れる必要はない、触れてはならない、と。触れなくても——というより触れえないことによって——、神の遍在は保証されよう。しかし、それが可能なのは、その前に、触れる体験、触れ合う体験があったからだ。「触れないこと」が絶大な効果を発揮するのは、「触れること」に先立たれ、基礎づけられているからである。すると今度は、私たちは、「新しい生活様式」への批判的な示唆を得ることになる。「ノリ・メ・タンゲレ」だけでは足りない。触れること、近くにあることは排除することは出来ないし、排除すべきではない、と。〔28〕

触覚の経験を遠隔技術によって代替することと、触れた過去があったうえで触れない今があることは全く異なっている。イエスと人々の関係は、「触れること」をめぐる記憶に基づいている。このような場において、「触れない」ことは時間の経験である。なぜなら、触覚的身体の経験とは時間の経験でもあるのだから。私は前著『触れることのモダニティ』において、この問題を扱っているので詳しくはそちらを見て欲しいが、ここでは簡単に紹介しておこう。モーリス・メルロ゠ポンティはプルーストの『失われた時を求めて』冒頭近くの一節を引用しながら、時間と触覚をめぐる議論を展開している。メルロ゠ポンティにおいて「触れること」と「触れられること」の不可分な体験における主客の絡み合い゠キアスムは、身体的に生きられた時間の経験と重ね合わせられているのだ。プルーストの小説はそのことを鮮やかに体現している。自著からの一節を引用する。

プルーストの小説においても、触覚は記憶の非知的な側面と関連付けられている。無意識的記憶が形成されるのは、触覚が重要な役割を果たしている場面においてである――タオルの感触、マドレーヌの味、敷石の硬さ、スプーンが皿に触れる音。これらの出来事や現象はすべて、マルセルが意図せずして過去と出会うような機会をもたらす接触の瞬間を捉えている。ものに触れることで、知的精神からは抜け落ちてしまっていても身体に保管されていた物事が一時的に呼び戻されるのだ。こうしたエピファニー的瞬間にあっては、過去と現在の区別は消失する。[29]

さまざまな行為の「リモート」技術による代替によって失われるものの一つは、このような質的な時間の経験であり、もっといえば経験そのものである。なぜなら、経験とは自らを偶発的な場にさらすことによってのみ生じるものだからだ。あらかじめ経験の範囲を自分で調整できる場において、経験は生じない。たしかに、身体的に同じ場所を共有するということがなければ、さまざまなリスクや無駄が避けられるかもしれない。しかし、もし「触れないこと」のうちに生き続けるのだとすれば、質的時間の経験は消え去るのである（実際、自粛生活を続ける中で、時間の質がフラットになったと感じる人は少なくないのではないか?）。

今引用した『触れることのモダニティ』という著作を、私は二〇一七年に上梓した（もととなった英語原文の博士論文は二〇一一年に完成している）。同書では、二〇世紀前半の西洋モダニズムの哲学、美学、文学において、触覚が真実を体現する感覚のモードとして重要性を持っていたということを主張した。この触覚の中心性は、視覚メディアの発達と関係がある。モダニズムにおける触覚というテーマの重要性は「あらゆるものが視覚的に媒介された近現代が不可避的に産み出した」ものであり、「触覚的なものはしばしば技術によって急激な変化を強いられた身体の防衛的な反応という形をとった」のである[30]。二〇世紀前半においては、視覚的な経験が次々とメディア的なものに包摂されていく中で、触覚的な体験の価値の固有性や重要性が強調された。このことと対比するならば、二一世紀前半に生きる私たちは、触覚的な体験も日々メディア的な装置に回収される世界に住んでいるということができるだろう。触れることのポストモダニティ、とでも呼べようか。それはコロナ禍の以前から始まっている傾向である。たとえば、スマートフォンの普及は、私たちの日常的な触覚体験を記号的なものに変えた。そして、「タップ」や「スワイプ」といった外来語が、触覚を用いた動作を記号的に表現した語として定着したのである。「ソーシャル・ディスタンス」が規範化された二〇二〇年の日常は、私たちがいかに工夫して人や物との接触なしに生活できるか、あるいはそれをどのようにインターネット技術で代替できるかを課題として突きつけている。身体的な「接触」はリスクやコストを伴うので、通信技術による「接続」でそれを代替しようという発想は私たちの身体観に大きな影響を与えており、それは疫病の流行がなくなっても少なくとも部分的には不可逆な変化として残るだろう。四月から五月にかけて世界各国で「緊急事態宣言」が出され、自粛が求められた時に、口にされるようになった言葉の一つが「ニューノーマル」であったことは重要である。アガンベンは今年の二月下旬という早い時期に発表した文章において、「エピデミックの発明が、例外化措置をあらゆる限界を超えて拡大する理想的口実を提供できる」と、国家権力による監視・管理権限が強化されることを危惧していた[31]。日本において例外的状況に準拠した生を「新しい普通」と呼ぶことは、そのような社会を早くも受け入れつつある徴候を示している。「普通」ではないことを「普通」と呼ぶことによって「普通」にしてしまおうというわけだ。「普通」という権力的に見えない言葉は、日本のような同調圧力が強い社会においては、もっとも権力的である。しかし、これは実際にはそれほど「新しい」わけではない。このような「新しい普通」が説得力を持って提出されるような社会・文化的基盤は、二〇一〇年代を通じて着実に整備されてきたのである。

4 「接触」から「接続」へ

本書に収められた一〇の論文のうち八つの論文は、二〇一二年から二〇一九年にかけて雑誌『ユリイカ』の特集号に寄稿したものを集めたものであり、新型コロナウイルスをめぐる議論を展開しているわけではない。では、なぜその序論においてこのような議論を展開してきたかというと、この新型コロナウイルス対応をめぐる社会の変化を、以下の各章で扱うさまざまな文化表象は、不安とともに表出してきたように感じられるからである。

人間の身体や意識が通信技術のネットワークによる「接続」や「非接続」の影響下に置かれてきたというのは、ポストモダン社会の重要な一局面であり、それは私たちの時代の実存的問いですらある。心身二元論とその反駁は、まだ私たちのもとに私たちの心や体が属していることを前提としている。だが、すべてが巨大なネットワークに接続され、管理・計算のうちに組み込まれるとき、心や体も私のものという感じが薄れていくのだとしたら、どうしたらいいだろうか[32]。「接触」が「接続」で置き換えられていく社会の変化を変えることは難しい。「接続」によって得られる利便性や快楽はあまりに大きいし、「感染」のリスクもない。だとすれば、こう問うべきだろう。私たちはどのように失地と向かい合うべきなのか。オンラインによってすべてを置き換えることが出来ないとすれば、置き換えられないものは私たちの存在にとって何なのか。それは単に懐古的な、後ろ向きの問いではなく、私たちの実存のための問いであるはずだろう。

最も早い時期に書かれた論稿である「接続された身体のメランコリー」を本書のタイトルとしたのは、「接続」によって私たちが「喪失」したものについての問いがそこに要約されているからである。メランコリーという語について少しばかり説明しておこう。古代ギリシア語の「黒胆汁」を語源とするこの語は、西洋中世から一九世紀までの生理学において、人間に内在的な四つの気質の一つである「憂鬱」を指していた。しかし、近代の医学、生理学、精神医学の発展と共に、メランコリーが「黒胆汁」のような体液によって決定されるという説明は過去のものとなり、代わりに抑鬱的な精神状態の様態を示す語となった。本書がこの語の概念的枠組みとして依拠しているのは、フロイトの一九一五年の論文「喪とメランコリー」である。この論文の中で、フロイトは愛する対象の喪失に対する人間の反応を「喪」と「メランコリー」に分けて説明している。「喪」においては、人は自分が何を喪失したかを意識しており、その日常からの逸脱は「一定の時間がたてば克服される」[33]。これに対し、「メランコリー」において、人は自分が何を喪失したのかを意識化できず、それはしばしば「自我感情の引き下げ」に結びつく。したがって、フロイトは「喪の場合には世界が貧しく空虚になっていたのだが、メランコリーの場合には自我自身が空虚になる」と定式化している[34]。このような精神病患者をめぐるフロイトの解釈を、現代における文化状況についてどれほど応用することができるだろうか。インターネットの普及とそれによる主体の捕捉・管理によって、私たちが何を喪失したのかを言うのはそれほど容易なことではない。もちろん独占的なグローバル・ネット企業が世界をパターン化し、伝統的社会を破壊、ないし貧しく空虚なものにしたという議論も成立するだろう[35]。しかし、これと同時に重要なのが、ネットワーク社会の常時的な「接続」によってもたらされた管理可能、計算可能な自我の示す、自我の本来的自我に対するメランコリックな関係性である。このように存在論的に再定置された心的過程としてのメランコリーは、逆説的ながら、ネットワーク社会において自我を自我たらしめ、文化的諸表現を結実させる根源的情動ともなる。つまり、喪失へのメランコリーが、自我を最終的な貧困化（ハイデガー的な意味での頽落）から救っているという肯定的な見方もできるのである。本書のいくつかの章は、時代徴候的なものとして技術によって規定された身体のメランコリー的状況を扱っている[36]。

本書の副題のもう一つの軸である〈フェイク〉は、「フェイクニュース」などという言葉によって象徴されるように、「真実」を脅かす疑似的なものという、ネガティブな概念として一般に捉えられると思う。たしかに、「フェイク」やそれに立脚した陰謀論は、インターネット、特にＳＮＳによる「接続」に力を得て、二一世紀の世界に広く蔓延した社会的現象の一側面である。しかし、それは時として〈喪失〉に附随して防衛反応的に現れる現象でもあり、本書は、こちらの側面をより重視している。かけがえのないものを喪失したときに、それを疑似的な何かによって代替するということはきわめて人間的な反応であり、また創作というものは、〈喪失〉に対処するための〈フェイク〉への意志と切り離すことは出来ない。本書において扱う作品の多くが、〈フェイク〉であることを暴き批判するよりは生の条件として受け入れる過程を描き出しているのは、現代文化の重要な特徴を浮き彫りにしている。もっとも、〈フェイク〉が固有の価値を持ち、世界の現実を形成する社会においては、それ自体が更なる〈喪失〉を知らず知らずのうちに生むようになるだろう。ことに、ネット社会において、〈フェイク〉と〈本物〉の差異は、日々消失していっている。だが、ここでは、〈フェイク〉が〈本物〉を駆逐するポスト・トゥルース社会への批判的介入を行いたいというわけではない。また、二〇世紀後半のポストモダン批評にしばしば見られたような両者の境界の消失を主張しようというわけでもない。むしろ、〈喪失〉に対するメランコリックな文化的生産性の一端としての〈フェイク〉のあり方を見ようとしている。〈フェイク〉と〈喪失〉のどちらが先行するにせよ、両概念は連関しつつ、二一世紀の文化と社会の磁場を形成していることは強調しておきたい。

本書で論じられるのは、ドン・デリーロ、カズオ・イシグロ、トニ・モリスンの三人の小説家、クリストファー・ノーラン、ジム・ジャームッシュ、クエンティン・タランティーノ、スパイク・リーの四人の映画作家、ルー・リード、デヴィッド・ボウイの二人の音楽家の生み出した作品群である。〈フェイク〉と〈喪失〉の主題は、それぞれの章を執筆するときに常に念頭にあったわけではないものの、結果として様々な形で論の中に組み込まれていた。とはいえ、それぞれの章は独立しており、独立した主題を扱ってもいる。これらの固有名を見て本書を手に取った読者が、序論をここまで読んで本を棚に戻す心配がなくはない。彼らの作品に共通するいくつかの文化的・時代的背景を説明するのが序論としては妥当なところだったのかもしれない。だが、カミュやアルトーを通じて二〇二〇年現在のコロナ禍を語ることは、これら二〇一〇年代を通じて書かれた論稿群に通底する深い共通テーマを照らし出すだろうというのが私の判断であった。また、読む／聞く／見る行為において、時代の背景が投影されるということを、やや概念的な説明も交えながらここで整理してみたのである。本書で扱われている作品の多くは同時代のものであるが、同時代における作品とは同時代に生きる私たちの生のあり方をしばしば問いかけてくるものである。もちろん、こうした議論を一切忘れ去って、それぞれの章を独立した論稿として、興味を引くものから読んでいただいてもいっこうに構わない。

5　潜在的現実と仮想的現実

二〇二〇年度前期、大学は閉鎖され、教室や図書館、グラウンドなどから人が消えた。授業はオンラインの同時双方向型のビデオ会議か、動画ファイルの配信を通じたものとなった。こうした授業形態には当初戸惑いもあったが、やがて一定のメリットもあることが分かってきた。大学まで移動することなく授業が受けられるということや、録画された動画であれば倍速再生をしたり、逆に巻き戻しをして聞き直したりすることができるといったことである。こうして私たちは同時通信技術によって、「話す頭」が枠に収まって並ぶ画面と向かい合う日々を過ごした。個人的には、毎週動画を配信するスタイルでも、同時双方向的にオンライン授業を行うスタイルでも、一定の授業のクオリティを保つことが出来たと自負している。アメリカ文化や文学の講義内容を反省的に練り直す機会になったのも事実である。だがやはり、これは「血が通わない」教育環境だと言われればその通りである。私たちは病理学的な感染から身を守る一方で、文化的な感染の芽を摘んでしまったのである。イタリア語のinfluenza（インフルエンツァ）――英語や日本語の「インフルエンザ」はこの語から借りた外来語である――は「影響」と「インフルエンザ」の二つの意味を持っている。アルトー的な感染と演劇的なものの重ね合わせは、このような二重の意味を持つ語のもとではよりよく理解できるだろう。現在においても、感染だけを取り除いて、人から人への影響を保持することは難しいのである。「リモート」環境において、教員は学生と同じコンピュータスクリーン上の枠を与えられた「話す顔」以上に大きな存在ではありえないのだ。もちろん、大学教員など小さい存在であっていっこうに構わないという学生もいるだろう。それでも、思いもかけぬ知人に影響を受けるという体験もありうるし、思わぬ迷惑を受けることもあるかもしれない。キャンパスという物理空間における、そうしたプラスやマイナスの体験はきれいに一掃された。それで救われたという人も一部いるに違いない。だが、大学において、人に全く「感染」することなく在学期間を終了するとはどういうことだろうか。

それでもなお、ヴァーチャルなものに希望がないわけではない。そもそも、文化によって築かれる空間とは、身体的な近接性を超えたもう一つの時空間を開くという意味でヴァーチャルなものなのではなかったか。この文脈において、「ヴァーチャル・リアリティ」という概念がアルトーの発明によるものであるという事実は、私たちに驚きを与える[37]。この語は、錬金術と演劇の類似性の議論のうちに現れる。

すべての真の錬金術師は、演劇が蜃気楼であるように錬金術的象徴がひとつの蜃気楼であることを知っている。そしてほとんどすべての錬金術の書物に見出される演劇的な事柄と原理についての絶えざるあの暗示は、そこで登場人物、オブジェ、イメージ、そして一般的には演劇の潜在的現実［la réalité virtuelle］を構成するものすべてが展開される面と、そこで錬金術の象徴が展開される、純粋に仮定的で実体のない面との間にある同一性の感覚（錬金術師たちはそれを極度に意識していた）として理解されなければならない。［38］

錬金術とは、卑金属を貴金属に変性しようという試みであり、そうした意味で、潜在的性質を引き出す実験であった。ペストと同じように、古代から近世にかけての人々は目には見えないものの潜在的な力を信じており、ペストや錬金術が過去のものとなった時代において、アルトーは演劇を活性化させる力としてそれを参照した。「潜在的現実」――ヴァーチャル・リアリティという概念はここにおいてはじめて現れる。もちろん、同じ「ヴァーチャル・リアリティ」という言葉を使っていても、アルトーは目には見えない可能性としての「潜在性」を強調しているのに対し、現代ではその後は「仮想現実」と訳されるように「仮想性」に重点がある。アルトー的な演劇空間は、オンライン環境において字義通りには実現できない。しかしながら、誤読のリスクを冒しつつ「潜在」と「仮想」をつなげ、オンライン環境に「潜在性」を見出すならば、「ヴァーチャル・リアリティ」という概念が、インターネットと現実の両者の交通を可能にし、創造性を切り開いてきたことも指摘出来よう。非身体的空間はいまや潜在的身体性の領野と重なりあっており、それこそがまさに「接続された身体」の生の条件である。

テレビ会議アプリのZoomを使った三年生のゼミの授業の最後の回は、本書でも扱っているクリストファー・ノーランの『インセプション』を議論することにした。私のゼミではほとんどの回はアメリカ文学の短篇を各回一本取り上げて議論しているが、映画の回も前期の授業の内で三回ある。そのうちの二回は古典的なハリウッド映画をとりあげたので、最後の回は二一世紀の作品をこちらが五本あげたうえで、ゼミ生による人気投票で扱う作品を決めたのだった。『インセプション』が、圧倒的に一番人気だった。『インセプション』は夢が複雑に階層化された世界を描いていて、事前の知識なく見ると混乱する人も多い作品だが、ゼミ生はきわめてよく作品構造を理解したうえで授業に臨んでくれた。この映画には極めて「ルール」が多い。「キック」やら「トーテム」やら。これは現実の夢とは似ても似つかない。若き日にシュルレアリスム運動に参加していただけでなく、自身の映画シナリオ『貝殻と牧師』において映画を「夢の機構」に結び付けたアルトーなら、このような夢は夢とは認めないだろう[39]。第一、夢とは個人の欲望と抑圧の不可解な発露ではなかったか？ あるいは、「演劇とペスト」に現れたように、何か現実にこれから起きることを本能的に察知するような、無意識的知のための「場」ではなかったか？ 映画『インセプション』では、夢は「アーキテクト」によって設計され、多数の登場人物によって共有される——。

夢の共有？ 「話す頭」が人数分の枠の中におさまる画面を再び見つめた。私たちが授業を行っている、このヴァーチャルなスペースこそがまさにそのようなものではないか。クリストファー・ノーランの作品の登場人物たちはあれほど動き回るにもかかわらず、身体性が欠けている。私たちは、身体とはあのように常に無駄のない動きをするものではないということを知っているのだ。アイデンティティを顔によって代表させることを構造的に強いられるZoomのヴァーチャル・スペースは、まったく動き回ることが出来ないが、まさに身体的な無駄のなさ、あるいは過剰さの欠如のために、ノーラン的な「接続された身体」を体現している。この変化はコロナ禍があろうがなかろうが、ほとんど不可逆的に見える。私たちは接続されない孤独や不便よりは、接続された賑やかさや利便性、清潔さを中心に社会を構築している。

アルトーの演劇は、「本物のこの世界、現実に接続したこの世界を私たちに与え」ることを志向していた[40]。彼の「ヴァーチャル・リアリティ」とはそのようなものであり、表層的に言葉だけを見るならば、現在のインターネット環境と共通するものを持っている。だが、アルトーはインターネットによる「現実への接続」を否定しただろう。アルトーとノーランは共に映画を通じて「夢」を描こうとしたが、そのニュアンスは全く異なっている。ノーランの夢のアーキテクチャは、あるプロットの達成のために合目的的に構成されており、ポスト・インターネット時代の想像力の産物と言いうる。「演劇」が残酷なものであるということは、現代においては思いもよらぬことだろう。だが、私たちは自らの生から「残酷さ」だけをきれいに削ぎ落として、文化的な伝染機能だけを保持することもまた不可能なのである。私たちが接続された身体の疎外状況に対処するためには、心の中にアルトー的な残酷さを保持しなければならない。そのようにしてのみ、錬金術のように、不要不急の事柄を緊急のものへと転化することができるだろう。

以下の各論はここでの議論とどれほど響きあっているだろうか。この長すぎる序論は、接続と非接続のあわいで、身体とヴァーチャリティのあいだで、さまよいながらひとまずの幕を閉じよう。コロナは世界の為政者の脳裏にどのような夢を届けただろうか？

クラスが終わった。次回の予定を確認し、全員がログアウトするのを見届けてからZoomのアプリを閉じると、ヴァーチャルな教室は夢のように消失した。後ろを振り返ってはいけないというのは、オルフェイオスに対するだけでなく、Zoomというウェブ会議ツールを使う私たちに対する禁令でもあるのかもしれない。触れてはならない、そして、振り返ってはならない。私は、ブラインドの隙間から強い西日の差し込む研究室に、一人残されていた。

構築と落下

――『インセプション』における重力

落下という運動は、経験の可能性と不可能性の両端に触れる。足を踏み外して、あるいはより大きな衝撃によって、支えを失った体が宙を舞う。瞬間、リンパ液の急激な移動によって三半規管が刺激され、めまいを感じる。感覚が、「身体は今、あるべきところにない」と脳に訴える。支えを求める筋肉が収縮する。この道は潜在的に死に通じている。階段を一段踏み外すという日常的な経験ですら、時空間を変調させるのに十分である。片足は着地点を求めて空を舞い、一瞬のうちに絶望的な努力をすることだろう。その努力の時間があまりに短いと、意識は潜在性として示された「死」をすばやく忘却するだけである。が、全身の筋肉の一瞬の収縮は日常性へと回収することの出来ない、異質な一点として残存する。これを認識が意味づけることのできないような「経験」の外の現象と考えるべきか、あるいはこれこそが「日常的怠落」の外へと身体を暴力的に連れ出すような生の「経験」であるというべきか。

　落下距離が大きければ、身体は着地の衝撃を受け止めることができず崩壊する。したがって、高所からの落下の経験をみずから語ることは不可能である。落下は言葉よりも速い。『不思議の国のアリス』の落下の愉快さは、この「落ちること」と「語ること」を同時に成し遂げている点にある。アリスは学校で習った「緯度」や「経度」といった言葉を思い出しながら（これらは動的なものを測るのにふさわしくない、スタティックな尺度である）、自らの体験を客観的に語ろうとする。そしてまた、彼女はいつまでも自分が落ち続けることを不審に思う。「落ちること落ちること。いつになったらおしまいなんだろう」［1］。このように冷静に分析をしながら落下することは不可能である。重力は運命であり、落下する身体はこの不可避の力に従順であるより他ない。そして、落下の持続時間が長ければ長いほど、身体はその結末に待ち受けているものの恐ろしさ――「おしまい」という暴力――に慄くよりほかない。アリスはしたがって、「不思議の国」へ入るにあたって、この矛盾を受け入れる身体を手に入れることになる。キャロルが「落下」という現象を異世界への入口に据えたのは偶然ではない。それは、繰り返し夢に出てくるような、子供にとって実に馴染みの深い恐怖の素因なのだ。児童の精神分析で名高いドナルド・ウィニコットは、「支え」を持たない子供が抱える不安を「永遠に落ちること」と示唆に富んだ表現で言語化している[2]。

「語ること」と物理的に「落ちること」が決して一致しないからこそ、落下は伝統的に象徴化され、ネガティブな意味を担ってきた。楽園からの追放はキリスト教圏およびイスラム教圏において"The Fall"と形容されるし、「転落」、「堕落」、「失墜」、「没落」といった語は、一ミリたりとも物理的な落下を伴わずとも、「失敗」や「不道徳」の下降的イメージを伝えている。イカロスの上昇と失墜はこれらの象徴に対して原型的な役割を担っていると言えるだろう。メタフォリカルな意味でのfall、特にマノン・レスコー、マダム・ボヴァリー、ナナ、レディ・チャタレーといった固有名と結びつく「女性の堕落」は、小説というジャンルの揺籃期の感傷小説から自然主義に至るまで重要な「問題」であり続けた。物理的に落ちることの意味内容があまりに貧しいがゆえに、「落ちること」は道徳や経済の問題に転じることで意味作用を補填したわけである。

重力そのものが描かれるようになったのは二〇世紀初頭、モダニズムの時代であるように思われる。

単なる落下。象徴的意味に回収されない物理的な身体の落下が、暴力の世紀の芸術作品を特徴づける。ヴァージニア・ウルフは『灯台へ』において横の運動を追究するのと同じ精神で、『ダロウェイ夫人』において縦の運動を追究し、それを死の問題と結びつけた。ジェイムス・ジョイスの「死者たち」の結末における fall に対するこだわりも、ウィリアム・フォークナーにおいて頻出する落下する飛行機のイメージも、その時代の「死」と「落下」の交錯を照らし出している[3]。「言語を拒む」トラウマ的落下は第一次世界大戦後の小説や美術に世界認識の展開をもたらしたのだ。このような身体的経験の他者としての落下については、キャシー・カルースの先鋭的なポール・ド・マン論を参照しなければならない。彼女はこのような意味作用の臨界点としての「落下」を極めて挑戦的に哲学の中心的課題と断じる。

ニュートンは言う。質量をもつ物体同士の空間内での動きは、それらが互いに引き合う力によって説明できるのだと。つまり、ニュートンの断言するところによれば、運動の世界は、文字通り落下の世界であることになるのではないか。そこで私は言いたい。ニュートン以後の哲学の歴史は、落下という現象の語り方の問題との取り組みの数々からなっているのではないか。また同様に、ド・マンが哲学の発展と結び付けているところを見ると、指示作用という問題も落下という現象をどのように指し示すかという問題ではないだろうか。[4]

カルースはニュートンの固有名に触れることで、ここで述べている落下の歴史的性格を強調している。彼女の著書の原題が *Unclaimed Experience* と、「経験」の一語を用いているのは示唆的である。所有することの出来ない、所有されることを拒む「経験」。「経験を積む」といった語の喚起する「経験」のイメージと対極にあるような垂直の一撃がトラウマ的主体を構成するような指示の困難な出来事である。カルースは「指示作用」という問題を落下という物理的現象と結びつけることで、しばしば「シニフィエなきシニフィアン」と呼ばれる浮遊のイメージと結びついた言語的事象に重力を与えている。

象徴化された落下を語るのは易しい。語りをすり抜けて行くのは非象徴的な垂直運動であり、それこそが構築的な言語に挑戦するのだ。構築と落下、この対立軸は本稿で論の対象となるクリストファー・ノーランの『インセプション』の主要な構成要素である。が、『インセプション』に向かう前に、映画というメディアにおける落下について考えるためには、この関係についてのある重要な論考のもとへと更なる迂回を経なくてはならない。

＊

蓮實重彦は『映画の神話学』所収の「映画と落ちること」と題された論文を「映画は、縦の世界を垂直に貫く運動に徹底して無力である」と切り出し、落下という現象に対する映画の困難な関係について論じている［5］。二〇世紀の芸術である映画を構成するものが人や事物の運動であるという事実は、この表現ジャンルが常に「落下」という現象に宿命的に向き合わなくてはならなかったことを明らかにする。

落ちること。精神分析的な主題としての失墜でも事故の転落でも、故意の投身でも、かまわないが、これを何とか垂直の運動として画面に定着させること。こうした映画の夢は、物語の上で何人かの落下者を生み出してさえいるのだが、それにふさわしいカメラの下降運動はこれまたきわめて貧しいものだ。理由は、いうまでもなく、落下という運動が持つ過激性にある。つまり落下の速度にカメラが追いつかないということ、それに、落下する存在が地面に倒れる瞬間の衝撃は、とても生命を保証しうるものでないということが、貧しさの直接の原因なのである。これは、自殺者の撮影にあたって役者を殺すわけにはいかないという、ごく常識的な倫理が必然化する映画の限界にほかならない。このことはあまりに当然のことと思われてか正面切って論じられることのない問題だが、決して軽々しく見逃されてはならない映画の生の条件ともいうべきものと深くかかわりあった現実なのだ。[6]

落下という現象の捉えがたさは、このように生身の身体の運動を描く映画において顕著なものとなるのであり、落下の主題は「映画の脆弱さが露呈する一瞬」を構成するだろう[7]。が、「徹底して無力であること」は画面から落下という現象を一掃することに帰結しない。上の引用において蓮實はいみじくも垂直運動を「画面に定着させること」を「映画の夢」と呼んでいる通り、映画は落下という現象に魅了され続けてきたのであり、バスター・キートンもロベルト・ロッセリーニも、あるいは蓮實の触れているラオール・ウォルシュもアンソニー・マンもフェデリコ・フェリーニも、不断に縦の構図に挑戦し続けたのであった。が、身体が大地にたたきつけられることの物理的、倫理的な不可能性のために、常に何らかの迂回や技巧が介在してきたのである。身体が墜落を始めるショットが地上に横たわる身体に不意に繋がれることの生み出す違和の感覚も、落下が水しぶきによって閉じられるという解決も、我々にとって馴染みのものである。身体の落下という運動の全体を撮るということは、映画にとって叶わぬ夢なのだ。アルフレッド・ヒッチコックの『めまい』や『サイコ』など縦の構図が強調されているフィルムにおいてさえも、落下ではなく「落ちないこと」こそが「真の主題」であると、同論文の蓮實は主張する。ニュートン的現実、垂直の力といかに対処するかが映画の宿命的課題であり、「サスペンス＝宙吊り」の緊張を生み出す原動力となっているのである。

＊

それでは、このような落下と映画をめぐる議論のうちに、ノーランの『インセプション』はどのように位置づけられるか。この作品は構築と崩壊の間の緊張を梃子にして、稠密に構成されている［8］。ストーリーそのものが、「構築」という運動とかかわっているのだ。レオナルド・ディカプリオの演ずるコブやその相棒であるアーサー（ジョセフ・ゴードン＝レヴィット）は、他人の夢の中に侵入して潜在意識から何かを抜き取ったり、逆に植えつけたりしてその人物の意識を操作できるという設定になっている。コブたちは、日本人の大企業の経営者であるサイトー（渡辺謙）の依頼にしたがって、彼のビジネスの対抗者であり、父親から会社の経営を引き継いだばかりのロバート・フィッシャー（キリアン・マーフィー）の夢の中に潜入し、彼の会社を瓦解させるようなアイディアを植えつけようとする。この困難な任務を遂行するために、夢は二重、三重に、すなわち、「夢の夢」、「夢の夢の夢」というふうに構築されることになる［9］。この複雑な夢の構造を構築するのが、大学で建築を学ぶアリアドネ（エレン・ペイジ）である。アリアドネは最初コブに教えられながら、意識の変化によって夢の中の風景を構築することを学ぶ。実際にミッションが始まると、コブたちはフィッシャーの潜在意識に影響を与えるようにアリアドネが構築した夢の世界を一段ずつ下っていくわけである。現実から離れた階層に行けば行くほど、時間の流れは二〇倍遅くなるという設定にも注意しなくてはならない。すなわち地上の五分は一つ目の夢の層で一時間四〇分であり、二つ目の層では約三三時間となる。夢のアーキテクトはしたがって、空間の設計士であるだけでなく時間の設計士でもあるのである。

しかし、もともとが夢という不確かな土台に建築された世界を複数の人物がシェアしているという状態なので、些細なきっかけで事物は崩れ始め、夢の階層同士が影響して連鎖反応を起こしてしまう。この映画を見る者は、あまりに事物が簡単に崩壊し、落下するのを目撃し、映画におけるリアリティの絶え間ない揺らぎを体験する。とりわけ、コブの亡くなった妻、モル（マリオン・コティヤール）をめぐる過去の記憶は重要である。コブのトラウマ的な記憶は、モルが高い建物から落下するイメージであり、これは幾度か形を変えて作品内に登場する。彼は自己のトラウマを照らし出す原初的風景を夢に投影させずにはおれず、それはミッションのために構築された世界を突き崩すような破壊的な要素となる。以下、『インセプション』を構成するこの対立する要素、すなわち構築と崩壊を中心に考えを進めていきたい。

*

この映画の脚本である『インセプション――撮影脚本（*Inception: The Shooting Script*）』には弟ジョナサン・ノーランによるインタヴューが収録されている。そこにおいてノーラン監督は、「これは夢だ」という意識を持ちながら夢を見続けるという不思議な体験を創作の原点であったと述べている[10]。そのような睡眠の状態において、夢を見る人間は夢を構成する人間でもある。『インセプション』において、この見ることと構成することの同時性は、コブがアリアドネを夢のうちに引き入れてその建築のデザインをさせるシーンの中で明確に述べられている。

コブ　私たちは脳の一部しか使っていないと言われる。
　だが、それは覚醒中の話だ。

夢の中では、奇跡のようなことができる

アリアドネ　例えば？

コブ　建物を想像するときどうしている？

普通は段階ごとに、細部を意識して作り出していく

だが、時には完成形が突然浮かぶこともある

アリアドネ　〝それだ〟って感じね

コブ　その通り。真のインスピレーションだ［11］

ここで、「意識的に少しずつ生み出す」という方法は、「直感的に一挙に見出す」という「真のインスピレーション」と対比されている。もちろん現実世界における建築において事物は部分から少しずつ全体へと向かって積み上げられていくよりほかない。つまり構想と建築の間には常に時間的な差異が存在する。しかし物理的な制約のない夢において、アーキテクトは見ることと創造することが重なり合うような形で事物を構築することができる。このような自由は建築家の卵であるアリアドネを強く惹きつけ、彼女は夢の世界にすぐに馴染むことになる。足で地面の感触を確かめながら、アリアドネは「夢の世界は視覚的なものだと思っていたけど、もっと感覚的なものね」と述べているが、このことは夢の世界と自己との直接的なつながりを示唆しており、この気づきを基礎として彼女は大胆に、重力を無視して夢を構築する［12］。彼女が最初に試みるのは、パリの街並みを折りたたんで、キュー

ブ状の空間を作ることである。彼女が意識を集中させると、それぞれの面は独立した重力を持ち、壁面や天井に車が張り付いて走るような風景が現出する。このことは映画の運動的なモメントのもう一方の極である「落下」を否定するような、夢に特徴的な自由な「構築」のありようを示している。

このような現実には建築不可能なものの建築については、この映画のM・C・エッシャーへの言及が参考になるだろう[13]。アーサーは夢の構築の「トリック」を教えるために「ペンローズの階段」をアリアドネに示す。これは、九〇度ずつ折れ曲がりながら続き、上っても上っても上の層に至らない階段であり、エッシャーは「上昇と下降」という一九六〇年のリトグラフ作品でそれを作品の中心的モチーフとして示している。アリアドネは、実のところ、アーサーに「ペンローズの階段」を示されるまでもなく、キューブ状のパリを築いた時点からすでにエッシャーのアイディアに沿っている。一九五三年のエッシャー作品《相対性》は、壁面となるべき部分にある階段を人が行き来しており、それぞれの壁面が固有の重力を持っているかのように描かれている。作品後半、アーサーが次々に重力の向きの変わる空間において立ち回るシーンはこの映画のハイライトの一つであり、これはアリアドネの構築したエッシャー的空間のなかでのアクションがいかに我々の知覚に挑戦するものであるかを示している。

「永遠の階段」に見られるような二次元にのみ可能な空間のパラドックスは、アーサーの説明によるならば「夢の境界を偽装するのに役に立つ」[14]。たしかに「偽装」こそが物理的空間を無視した「永遠の階段」の中心的テーマである。ロバートの夢に忍び込んで潜在意識に確実に影響を与えるとすれば、「上」に位置している「現実」の位相に気付かれないようにしなくてはならない。このことの重要性は、映画冒頭のシークエンスで自分の夢への侵入を受けたサイトーがそれを夢と自覚することで計画が瓦解することからも示唆されている。夢とはそれが夢と気づかれるまでは境界なき無限の存在であり、この映画における説話的な「サスペンス」を成す。それは、いずれは現実の重力によって「解決」されるべき「宙づり状態」なのだ。ダグラス・R・ホフスタッターの『ゲーデル、エッシャー、バッハ』はこのようなロジカルレベルの階層性を視覚化して論じているが、エッシャーに明示的に言及しているノーランがこの書物に親しんでいた可能性は小さくない［15］。図1は同書の直前の章の「対話篇」の物語構造を図式化したものである。亀とアキレスは「物語の物語の物語の…」と、あるレベルの物語の解決を先送りにしたまま、次第に「下」の方へと下降して行き、後になって一段ずつその階層を上がることで説話的緊張を「解決」する（とはいえ、ここでは図版の下の説明にあるように物語は初めのレベルに戻ることなく終わってしまう）。『インセプション』の物語構造も全く同じであり、実際、『インセプション――撮影脚本』に掲載されている手書きのノートは、ノーランがホフスタッターと同様に、夢（＝物語）の階層を一段ずつ下降し後に上昇する階段の形にイメージしていることを明らかにしている（図2）［16］。このことはエッシャーの階段の絵が単にモチーフとして用いられているだけではなく、映画の構造そのものに関わるものであることを示しているだろう。したがって、ダレン・ムーニーの指摘するように、夢の世界を構築するアリアドネは映画の説話構造を構築する映画作家ノーランと重なり合うことになる［17］。言い換えれば、アリアドネという人物は、「構築」とい

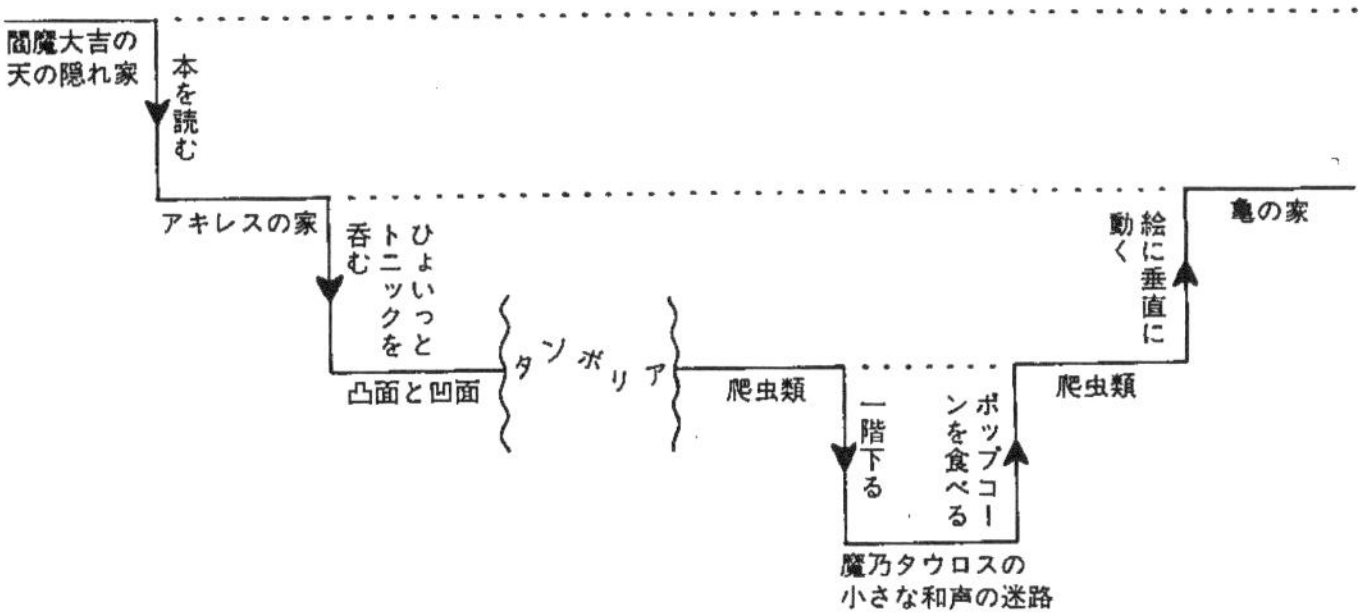

図1｜ロジカルレベルの階層性（出典：ダグラス・R・ホフスタッター『ゲーデル、エッシャー、バッハ——あるいは不思議の輪』野崎昭弘ほか訳、白揚社、143頁）

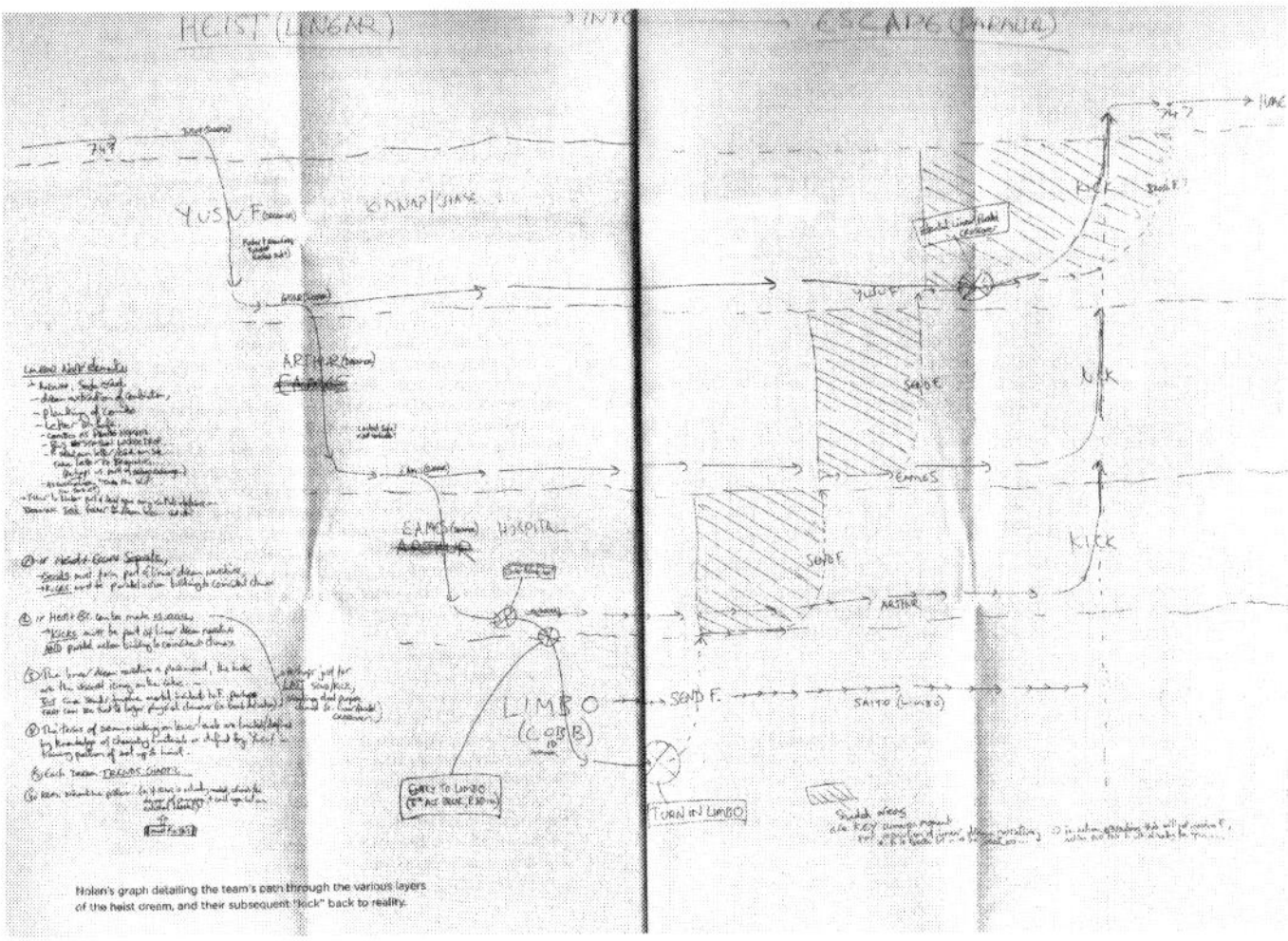

図2｜ノーランによる手書きのノート（出典：Christopher Nolan, Inception: *The Shooting Script*, San Rafael, CA: Insight, 2010, pp.16–17.）

うこの映画の原理の一つの極にメタ的にかかわっているのだ。

すでに述べたように、一つ一つの夢の階層の完結性はエッシャーの無限階段のように偽装されたものでしかない。コブたちのグループは、しばしば「キック」と呼ばれる主として落下に起因する衝撃を用いて夢の階層間を移動する。このことは「無限階段」のような偽装を突き破ることができるのが重力による事物の確かさの回復であるということを示している。無限階段、さらには階段状の物語構造の土台を揺るがす震動は、無限のものとして偽装されたものの有限性を明るみに出す。「キック」は成否の見えない危険な賭けであり、だからこそコブたちは夢の階層を構築するにあたって、その構造に詳しい者たちを周到に集めて準備するのである。

が、このような「キック」としての落下は夢を構築したものたちによってすでに織り込まれた外部への通路である。このような構築の全き外部にあるのが、コブの潜在意識の反映である「運命の女《ファム・ファタール》」モルであり、彼女の死と結びついた「落下」である。彼女は夢の構造を無視して、全ての階層を自在に行き来し、登場人物たちに銃を放ったり、ナイフを突き刺したりして、ミッションの継続を妨げる。彼女の暴力行為はしばしば突然始まり、目的を欠いているように見える。それを「浮遊するシニフィアン」であると解釈することもできるだろう。が、この「現実」という上層部には決して浮上することのない存在を、映画全体に散りばめられた「落下」事象の起源をなす暴力とみなすとどうなるか。

彼女の投身自殺はこの映画のコブとモルの関係を基礎付ける出来事だが、このことについては情報をつなぎ合わせて、経緯をたどる必要があるだろう。この映画の物語的時間の「現在」より前、モルとコブはかつて夢の第三層（「夢の夢の夢」）の下に位置する「リンボ（Limbo）」で五〇年もの時間を過ごした（といってもこれは「現実」の層ではたかだか数時間にしかならない）。彼らは現実世界よりもはるかに遅く流れる時間の中で、世界を構築することに夢中になっていたのだ。この世界において「私たちは神だった」とコブは述べる。モルはこの世界に文字通り夢中になり、現実の世界を忘れることを選択する。コブは夢の辺土にとらわれてしまった彼女の状態に危機感を覚え、彼女の目を覚まさせるために彼女の意識の内奥に分け入り、「ここは現実ではない」というアイディアを植えつける。これが一度は功を奏し、彼らは自ら命を絶つことで「リンボ（Limbo）」から脱するのだが、この植えつけられたアイディアは「癌のように」モルのうちに残る。そして、彼女は現実世界においてもなお「ここは現実ではない」と思い込み、投身自殺をするのだ。すなわちコブによるインセプションがモルの死の起源となっているのであり、彼女が彼に対して「あなたは私を殺した」と訴えかけるのは真実の一端なのである。

このモルの決定的な投身はコブの意識に消しがたく残ってしまう。この作品中はじめてモルが現れる場面で、彼女は日本の古城をキッチュに変容したような建物の外回廊の欄干の傍に立ち、下を眺めながらつぶやく。

モル　飛び降りたら、助かるかしら
コブ　ぶつからなければ、おそらく［18］

このように彼女は始めて登場した瞬間に、唐突に身を投げることについて語っている。続くシーンで、二人は壁にフランシス・ベーコンの絵のかかる同じ建物の中の個室に移動している。ここでコブはモルの座るイスの足の一つにロープの一端をくくりつけ、反対の端を自分の身体に結び窓から身を投げる。もちろん「運命の女《ファム・ファタール》」モルは立ち去り、座る人のいなくなったイスは窓の方へ急速に移動して、コブは落下する。もっとも、彼は下の階の窓を破壊して再び建物に戻るのだが。ここで、コブはモルに自分の命運を託すことでモルの落下を引き起こした自分の行為を償うために、それを逆向きに反復しようとしているのかもしれない。

この二つの場面は、欄干の上の二人を写す場面からフランシス・ベーコンのクロースアップへと唐突につながれる。このような場面のつなぎ方については、ブルーレイディスクに特典として収められた「夢」についてのドキュメンタリーフィルムにおけるノーランの言葉が参考になる。

映画にはディゾルブなど多様な場面転換が存在する。だが脳の世界の捉え方に最も近い映画の手法は、単純な「カット」だと思う。なるべく「カット」という単純な場面の切り替えで、観客の精神状態を転換していこうと試みた。

唐突なカットのために時間的・空間的な連関の曖昧な、これら欄干と椅子の二つの場面をつなぐテーマは「落下」であり、それは夢というもののオブセッションとの強いつながりを示していると言えるだろう。

「キック」と呼ばれる「落下」は夢の階層を移動するための手段であり、モルの投身自殺とは一応は区別される。が、階層間の移動のための手段化された落下が完全に「死」を記号化しているのであれば映画はその緊張を全く失ってしまうだろう。『インセプション』は夢の中の出来事を完全に現実と切り離された空想の出来事として扱っているわけではない。そのことをノーランはいくつかの生きる者の体験を通じて示す。たとえば、「痛み」。夢の中で傷ついても現実にその傷跡は残らない。が、夢の中でも痛みを感じる。映画の初めのほうで、アーサーはモルに足を撃たれて苦しみもだえる。また、アリアドネに夢の構築を教えるシーンで、コブは建物の爆発によって飛んでくる破片を顔をそむけて避けようとする。このような、夢の中での身体感覚のリアリティは、「夢」と「現実」の区別を曖昧にする一要因であると言える。階層間の移動は「これは夢だ」という反省的意識のもとでのみ可能になるが、それぞれの夢は独自の世界を持ち、身体はその条件から自由ではない。

モルはこうした「夢」と「現実」の間の区別し難さの問題を集約する主体となる。彼女は「夢」を現実と思い込むことを選択し、夢の奥へと沈み込む。彼女がコブに夢の世界に留まるよう懇願しながら、「あなたの現実を選んで（“Choose your reality”）」と訴えているのは示唆的である[19]。彼女にとっては、「夢」と「現実」は画然と分けられる二つの世界ではない。「現実」が、あるいは「夢」が、複数存在しているだけなのだ。コブのトラウマの中心となるモルの落下は、彼女の「夢」と「現実」の混乱に起因している。

モル　いいえ。私は飛びおりる。あなたは私と一緒に来るのよ

コブ　だめだ。ここは「現実」だ。もし飛び降りれば、目を覚ますのではなく、死んでしまう。さあ、なかに入って。頼むから、話をしよう[20]

このようにして、彼女は「現実」の世界において命を落とす。

が、本当に「現実」なのだろうか？　このシーンは、あたかも夢の場面のように撮られている。もちろん、これはコブによって回想されている場面であり、彼の語りによって再現されたがゆえの現実の希薄さというのはあるかもしれない。しかし、場面転換の唐突さやノイズの欠如、光の用い方、さらにはモルが向かい側のホテルの高層階の部屋の窓枠の外に座っている設定の不自然さ（彼女はどうやって移動した？）などは、この場面が映画における「夢」の領域に属していることを告げているように思われる。そうであれば、この直前の場面における彼女の断言、「あなたは自分が夢を見ていることを知らないのよ」という言葉はにわかに不吉なトーンを帯びることになるだろう[21]。モルの断言が彼女の「夢」と「現実」の境界の混乱に発するものではなかったらどうなるのか？　「現実」の唯一性は崩れ、モルの言うとおり複数の現実が存在することになる[22]。もちろん、作品中視点人物の位置を占めることの多いコブを観客は基本的に信頼するだろう。モルの投身自殺が仮に現実に起きたこ

とだとしても、それをコブが回想するときには夢のような皮膜を纏うのだ、と解釈することもできるかもしれない。いずれにせよノーランは、このモルの飛び降り自殺のシーンのリアリティの希薄さを通じて、コブの認識が絶対的なものではない、ということを示しているように思われる。

同様に、モルが子供たちの待つ家に帰るラストシーンも夢の中のように描かれている。コブが子供たちのいる外へと出て行くのに対し、カメラはそれを追うことをせず室内に残され、コブが現実を確かめるためにいつも用いていた「トーテム」のコマの回る様子を見ることになる。このトーテムは回り続ければ「夢」、止まれば「現実」という設定になっており、この小道具は作品中しばしば「現実」に戻ったコブがそのことを確かめるために用いている。作品はコマが重力の作用によって多少バランスを崩してブレはじめる所で幕切れとなり、おそらく「現実」の出来事だろうが確実には決定できない、という程度の曖昧さを残すことになる。しかし、ここでコマが回っているということ自体が、そもそもの「現実」世界の不安定さを語っている。モルの語る言葉が正しければ、コブがそこに戻ることを希求し続ける子供の暮らす「我が家」も複数の位相に存在することになるだろう。いずれにせよ、カメラがコマにフォーカスしたまま残り、観客がコブに置き去りにされるという場面は、「夢」か「現実」かという映画全体のメタメッセージとかかわると言える。回るコマの静止もまた落下とおなじく重力の作用によるものであり、この映画における落下のテーマ的重要性を告げている。

＊

アリアドネが「現実」の側から「夢」を構築するとすれば、モルは「夢」の側から「現実」を侵食する。この登場人物のほとんどが男性の映画において、二人の女性人物は映画の構成原理を成すような二つの極を代表する。二人はこの映画に対してメタ的にかかわっているのだ。先に触れた夢についてのドキュメンタリーは、専門家や監督、役者たちから夢と現実の平行性についての言葉を引き出しており、ある人物は、英国に最初にできた映画館が「夢の宮殿」と呼ばれたという事実を例に引きながら、映画と夢が「よく同列に用いられる」と述べている。すでに述べたように、アリアドネの夢の構築は映画の創作そのものと近い。それでは、モルとは何か。映画の外部である。彼女の落下は映画そのものの不可能性に触れている。この点において、上に引いた弟からのインタヴューの中で、ノーランが「主人公の妻を悪役でなければならないと気付くまでどうやって映画を終えたらいいのかよく分からなかった」と述べていることは重要である[23]。彼は構築だけで作品の成り立つことの退屈さを語っているのであり、そこには映画というジャンルの垂直方向への飽くなき探求の一端が垣間見える。もちろん、『インセプション』が落下を撮ることに成功したというわけではない。が、構造を落下に対立させ、サスペンスを夢＝作品と現実のあいだに作り出すことで、映画のみが現出できるような知的緊張を作品内にめぐらしている。

＊

この「落下」は二一世紀の日付を持っている。《落下する男（*The Falling Man*）》は二〇〇一年九月一一日午前九時四一分一五秒にAP通信のリチャード・ドルーによって写された、ワールド・トレードセンターから身を投げた男の写真であり、翌日のニューヨークタイムズ他の各紙に掲載された[24]。男は頭から地面に急降下しており、その背景にはストライプ模様のように見える高層ビルが写っている。ビルの左側は暗く右側は明るい。男の身体はその明と暗のちょうど境目のあたりに位置している。着ているものは白いシャツに黒いスラックスだろうか。右足は体の後方へと伸び、左足は九〇度の角度で折りたたまれ、あたかもダンサーがポーズをとっているような華麗なシルエットを形作っている。彼はこの写真を撮られた数秒後に地面に叩き付けられ、肉体は完全に破壊されてしまうだろう。しかし、この落下の瞬間、ある種の美しさを現出させている[25]。このイメージはその一回的な出来事にもかかわらず、9・11という出来事と結びついて永久に歴史に残るものとなった。落下する身体は特定の時間、特定の場所を指示するメモリアルな身体として、永遠に落ち続けるのだ。

どこで？

印刷物のなかで、インターネットの中で、私たちの記憶のなかで。落下は増殖し、反復している。いまここで私は「私たち」という言葉を留保なく用いたい。国籍やイデオロギーにかかわらず、サイバーネットワークによってすべてが関係しあった社会のなかで私たちの脳は直接的にこのイメージにつながれている。トラウマは世界のものだ。私たちの脳は、この瞬間のイメージ、危機の直前の一瞬のイメージを植えつけられていて（インセプション）、それを取り除くことが出来ない。あなたがアメリカ人であるか、日本人であるか、アラブ人であるか、イスラム原理主義者であるか、ネオリベラリストであるか、そうした差異は、イメージの暴力的な身体への侵入という圧倒的な生の条件に対して、ほとんど意味をなさないだろう。我々の生は世界に接続されている。

ドン・デリーロは9・11を主題化した小説『堕ちてゆく男［*Falling Man*］』のなかで、この特定の日付を持つ身体の落下を描写している。

自由落下とは、物が大気中を落ちていく際、パラシュートのような抗力を加える道具をまったく使わない落下。地球の重力場のみに引っ張られている肉体の理想的な落下運動である。

彼女はそれ以上読まなかったが、この記事が触れている写真のことはすぐにわかった。テロ事件の翌日、新聞でその写真を最初に見たとき、ものすごい衝撃を受けたのだ。男がまっ逆さまになっており、その後ろに二棟のタワーが見える。タワーが写真の背景を埋め尽くしている。男が落ちていき、隣接する二棟のタワーがその背後にある。空に向かって昇っていくビルの側面、垂直の柱のストライプ。…まっ逆さま、自由落下、と彼女は思った。この写真は彼女の心に焼け焦げの穴を作ってしまった。神様、彼は落ちていく天使で、その美しさは身の毛もよだつほどです。［26］

形あるものは全て落下する。しかし、デリーロは9・11を、それ以降の落下の意味を変えてしまうような歴史的な出来事であったと考えているのである〔27〕。物理的な落下は当人にしか「経験」されえない。それを「経験」した主体がすぐに崩れ去ってしまうような種類のものであるとしても。しかし、私たちはみなイメージを通してこの落下を「経験」しているのであり、そこに歴史が介在することになるだろう。このような「経験」をするとき、主体は日常的空間にあると同時にサイバースペースを通じてはるか遠くの場所、あるいはどこでもない場所に接続されている。『インセプション』では、多くの場面で場所を問う質問が投げかけられる。コブはモルに初めて会う場面で、彼女に対して「なんでここにいるのか？」と質問しているが、モルはまさに偏在的な人物であり、何度も繰り返し、夢の様々な階層で現れる。しかし、他の登場人物についても事情は変わらない。彼らはしばしば突然、ある場所にいる。自分たちが夢のなかにいる、という意識だけが彼らを現実につなぎとめているのである。

この夢をサイバースペースに見立てるならば、私たちはすでに夢遊病者である。サイバースペースは現実を侵食し、生を条件付けている。SNSに夢中になった親が自分の子供を飢え死にさせてしまうという事件が起きる今日、モルのような人物は私たちの隣人である。重力は日々失われている。

＊

さて、我々はどこにいるのか？

背後の世界、あるいはあらかじめ喪われているものの彼方へ

――ルー・リードとデルモア・シュウォーツ

私たちは、権利上はつねにすでに狂っている――酔っている、薬中《ジャンキー》である――と考えるべきであり、事実上、多少まともになるときもあるにすぎない。認識のレベルでも、倫理のレベルでもそうなのである。
（千葉雅也『動きすぎてはいけない』河出書房新社、二〇一三年、二七頁）

二〇一二年に再版されたデルモア・シュウォーツ（一九一三―六六）の短篇集『夢の中で責任が始まる』（一九三七）の巻頭には、シュウォーツを偲ぶルー・リードの詩が付されている。今日では主としてこの短篇集の表題作で記憶されているユダヤ人作家シュウォーツは、リードがシラキュース大学の英文科に在籍していた時の師であり、大学町のバーで酒を飲み交わし文学談義をした友であった。リードのシュウォーツに対する心酔は、この率直に書かれた散文詩に余すことなく表現されている。

おおデルモア、あなたのいないのがどれほど寂しいことか［O Delmore how I miss you.］。あなたは俺に書くための霊感を与えてくれた。俺の出会った一番偉大な人間だ。あなたは最も簡素な言葉で最も深い感情をつかんでいた。作品の題名を見ただけで、俺の首もとに燃えさかる詩神が昇ってきた。あなたは天才だった――破滅する運命の。［1］

今日、〝O〟の一字で始まる詩は珍しい。おそらくここには、ホイットマンの亡くなった船長を船員たちが嘆く詩、“O Captain! My Captain!”が響いている。シュウォーツはホイットマンのことをニューヨークの詩人として尊敬していたし、彼に関する詩を書いてもいた［2］。リードは、亡くなって五〇年近くもたった詩人を讃え哀悼するにあたって、きわめて適切な古風な形式をもってしたのだ。

二人はともにブルックリン生まれのユダヤ人であり、そのような出自の共通性は確実に彼らを結び付けていた。しかし、彼らはエディプス的な「父‐子」の関係を形成したわけではなかった。リードとシュウォーツは社会の中で周縁的な存在であることを自覚した孤独なペシミストたちであり、酒や麻薬による「崩壊」の感覚によって自己を希薄化させると共に、世界から亀裂へと逃走する、亀裂の表現者であった［3］。実際、大学で出会ったというのは正確ではない。二人はシラキュースのバーで、はぐれ者同士として出会ったのである。右に引いた詩の中で、リードはこう言っている。「あなたに会ったのはバーだった。あなたはちょうど五杯の飲み物を頼んだところだった」。「五杯目」ではない、「五杯」である。もちろん、シュウォーツのクラスがすでに、大学というアカデミックなシステムの外部であったと言っていい。ハーバードやプリンストンの反ユダヤ的風土を嫌い、晩年になってシラキュースに流れついたこの「さまよえる」知識人は、ぼろぼろになった『フィネガンズ・ウェイク』を朗読し、ジョイスを読むのに身を捧げるよりもよいことなどこの世にはほとんどない、と説いたという。［4］当時、この空前絶後の「奇書」を教えるなどという無謀な冒険を行っていた人間は皆無であったに違いない。“riverrun, past Eve and Adam's, from swerve of shore to bend of bay....”［5］

*

「色々悪いところがあってもさ」とシーモアは言った、「おれは、ばかじゃないぜ。」
「みんなばか者だよ」と母は言った、「だいたいみんなばかだよ。」
「多分な」と、シーモアは言った。

(Schwartz "The Child is the Meaning of this Life")

世界があって、その後に亀裂があるのではない。世界に先んじて亀裂があるのであり、だからこそ彼らはペシミストなのである。アルバム『ヴェルヴェット・アンダーグラウンド＆ニコ』(一九六七)のはじめに置かれた「日曜の朝」を聞くと、和やかなメロディーにのせて心地よい朝の様子が描かれると思いきや、すぐさま歌詞の上に奇妙な亀裂が露出する。原文と訳文を並べて引用する。

Watch out, the world's behind you
There's always someone around you who will call
It's nothing at all

気をつけろよ、世界は君の背後にいるぞ
周りで、いつも誰かの呼ぶ声が聞こえるんだ
本当はなにも無いけど

この亀裂についてはリード自身を含め、多くの評論家が議論を重ねてきた。プロデューサーを務めたアンディ・ウォーホルの「パラノイアについての曲にしてみるように」という助言をもとに、リードはこの部分の歌詞を書き足したという[6]。日曜の朝に街を歩く遊歩者が抱えている不安感は、たしかに「世界に監視されている」というオブセッションに拠っている。二行目の"call"を「通報する」という意味にとり、ここに描かれているのは犯罪者の心理であると考えることも出来るだろう。「背後に気をつけろ、誰かが通報するぞ」というわけだ。自分の世界への能動的な関心ではなく、世界の自分に対する関心というパラノイアックな幻想がここで強調されているのである。

目には見えない何かが自分の生を強く規定しているという感覚はシュウォーツの作品の中心的なテーマだ。T・S・エリオットやウラジーミル・ナボコフにも賞賛された傑作短篇「夢の中で責任が始まる」の主人公は劇場にいて、結婚前の父と母がデートする様子がスクリーンに映されるのを眺めている。彼は、自分が生まれる前に起き、自分の人生を束縛することになる出来事をこの奇妙な空間で目にしているのである。物語のなかほど、父が母にプロポーズをするところで「僕」は立ち上がり、スクリーン上に映された若き日の二人に向かって叫ぶ。「やめてくれ。考え直すならまだ遅くないぞ、二人とも。結婚したって何もいいことなんかない。悔悟、憎悪、醜聞、そして怪物のような子供が二人生まれてくるだけだ」[7]。シュウォーツが投影された主人公は自分の生まれる前に遡って、自己の存在の起源を消去しようとするのだ。

シュウォーツの作品の多くは自伝的で、このような作品における両親の描写は彼の実人生に大きなかかわりがある。ルーマニアからの移民であるシュウォーツの両親ハリーとローズの夫婦関係は、彼が五歳になるまでには完全に破綻していた。デルモアが九歳の時に彼らは別離し、父はシカゴに住み、時々デルモアとその弟ケネスに会いにニューヨークを訪れていた（後には子供たちが父の住むシカゴを訪れた）。シュウォーツの創作の源にあるのは、このような不安定な幼年時代の経験である。彼が描き出した一九二〇年代のニューヨークは、フィッツジェラルドの描いた華々しいジャズ・エイジのそれではない。希望が現れてはたちまち失望へと変わる、ごたごたとしたブルックリンのユダヤ人地区の物語であるのだ。自伝的な短篇「アメリカ！　アメリカ！」に描かれた家族は、科学的、社会的な進歩が起きるたびに「アメリカ！」という一語を叫ぶのを習慣にして生きているが、そのことはかえって「アメリカンドリーム」というものが、それを果たしえない周縁的な人々によって口にされる言葉であったことを示唆している。「アメリカ！」という言葉が響く領域は貧しい労働者の住むブルックリンの内にとどまっていたのだ。だから繰り返される「アメリカ！」は、表面上は未来へ向けた希望の言葉でありながら、実のところあらかじめ喪われたものに向けられた絶望の言葉なのである［8］。この短篇が圧倒的な虚無感を抱かせる次のような言葉で閉じられるのは必然である。「現実の世界にほんとうに存在している人など誰もいない。自分が人にどう見られているか、背後で人が何を言っているか、どんな馬鹿げたことが未来に待ち受けているか、などということを全て知っている人は誰もいないからだ」［9］。奇妙な断言であると言わねばならない。そのようなことを「全て知っている」

人などそもそも存在するわけがないのだから、シュウォーツにとって「絶望」は全ての人が運命付けられたものであるのだ。存在論的絶望。キェルケゴールは言っている。

> 全然健康な人間などというものはおそらく一人もいないと医者は多分そういうであろうが、同じように我々は、もしも我々が人間を良く知っているとすれば、何等かの意味で何ほどか絶望していないような人間は一人もいないといわなければならないであろう。[10]

絶望に出口はないが、そのことがまさに人間の条件なのである。実際、キェルケゴールは「絶望していない」ということすら「絶望」の一形態であると論じた。冒頭のエピグラフに引いた千葉雅也にならって、「私たちは、権利上はつねにすでに」絶望しているのであり、「事実上、多少」そのことから逃れていることがあるに過ぎない、と言い直すこともできよう。「絶望」は人間がつねに「背後」を持っていることから来る運命である。他者は「背後」にいる。

デルモア・シュウォーツ（出典：James Atlas, *The Life of an American Poet*, New York: Farrar Straus and Giroux, 1977, unpaged.）

「背後」こそが問題であるのだ［11］。

＊

シュウォーツはシラキュースを去った後、ニューヨークのホテルでパラノイア的な妄想を抱えた隠遁者として暮らした。大学を卒業してニューヨークのピクウィック・レコードで働いていたリードは、バーで酔いつぶれたシュウォーツをホテルに抱えて帰ったこともあるらしい。リードに詩人としての可能性を見ていたシュウォーツは、金のために詩を作るようなことがあったら亡霊になってとりつくぞ、とリードに警告している［12］。この警告はリードの音楽生活を後々まで縛ることになるだろう［13］。シュウォーツはニューヨーク市立図書館、場末のバーであるホワイト・ホース、滞在していたマンハッタンの安宿コロンビア・ホテルの三か所を行き来しながら暮らしていたが、ある日ゴミ出しをするときに四階の廊下で倒れ、搬送された病院で死亡した。享年五二歳。死因は心臓発作。

『夢の中で責任が始まる』に付されたリードの詩は、「母の隣に埋葬させないでくれよ」というシュウォーツの言葉を引いている［14］。この言葉は、シュウォーツが早くから死を意識していたことを物語っている。坪内祐三が魅力的なシュウォーツ論で指摘しているように、彼は「三十にして…、すでに人生の晩年だった」のだ［15］。それにしてもこの母への嫌悪はどうだろう。晩年になって母への思いを吐露する文学者は多い。しかし、母へ憎しみを晩年まで引きずっているという事実は、「失敗者」

としての自己の起源への思いの強さを伝えて余りある。

そもそも生まれてきたことが失敗だと思っているシュウォーツにとって、母が単純に愛の対象であったはずはない。実に、この感情のもつれはシュウォーツの誕生以前に起源を持っているのだ。シュウォーツの母ローズはいつも「出張中」の夫を自分に振り向かせるために、自らの貯金を取り崩して不妊治療をし、デルモアをもうけたのだった。シュウォーツは後年その経緯を知って、欺かれたように感じたという。自分が存在するのは、別のもののための方便に過ぎなかったからだ。もっとも彼の母への怒りはまた、彼女への哀れみの気持ちと混ざったものであったようだ。「アメリカ！　アメリカ！」や「子供はこの人生の意味」などの短篇において「母」は包容力のある、優しい人物として描かれている。フロイトの著作を愛読していたシュウォーツは、こうした母への愛や憎しみを徴候的なものとして自己分析していたのかもしれない。

＊

いんちき精神科医はみんな
電気ショックを与える
こうすれば、精神病院じゃなくて、
お母さん、お父さんといっしょにお家で暮らせるよ、と彼らは言う。
(Reed "Kill Your Sons")

一九七四年の「息子たちを殺す」は、リードの断絶を語っている。中学生の頃、リードは同性愛的な詩を書いては友人たちに見せていた。息子に社会的に尊敬されるような仕事に就くことを期待していた両親は彼の性的嗜好を危惧し、クリードモア精神病院で電気ショックを受けさせたのだった。もっとも、同性愛に対する偏見はその当時はずっと強く、一般的に「治療」すべき異常な性向であると考えられていた。電気ショック治療は彼の脳に大きな影響を与え、幼少時代の記憶は断片化した。この後リードは長い間にわたってセラピーに通うことになり、クリニックに通うのに便利であるという理由から近郊のニューヨーク大学ブロンクス校に一度入学し、一九六〇年春にセラピーが終了したときにシラキュースに入りなおしたのだった。シュウォーツがリードの人生に登場するのは、このような「息子」としてのリードの「死後」のことなのである。シュウォーツのことを最もはっきりと言及しながら唄っている一九九二年の曲「私の家」が、「わたしたちの家は夜にとても美しい」というフレーズのリフレインによって閉じられているのは、シュウォーツがリードにとって「家」の代理の役割を果たしていたことを示しているだろう。それは異性愛主義の制度のもとに築かれる「昼の家」ではない。そのような制度を逃れるものとして、記憶や想像によって生死の境界を越えて築かれる「夜の家」である。リードは実に長い間シュウォーツという死者と共に生きてきた。言い換えれば、シュウォーツこそがリードを「背後」から見守る亡霊であったのだ。

このようにして、我々はデビューアルバム『ヴェルヴェット・アンダーグラウンド&ニコ』に再び漂着する。最後に置かれた「ヨーロッパの息子」は、シュウォーツに捧げられている。

＊

おまえは、ヨーロッパの息子を殺した。
おまえは、21歳以下の者たちにつばを吐く。
だけど、もうお前の青い車は行っちまった。
もうおさらばしたほうがいいぜ、
ヘイヘイ、バイバイバイ

なぜこのような曲がシュウォーツに捧げられているのかは、にわかには分かりづらい。他ではシュウォーツに対して敬意に満ちた言葉を連ねているリードが、この詞においては辛らつな言葉を用いているように感じられるからだ。もし「おまえ」をシュウォーツとして読んだならば、シュウォーツは幼くしてその魂を殺された者ではなく、殺す側の人間ということになる。シュウォーツを父のように慕っていたリードであるから、なぜ自分を「ヨーロッパの息子」と呼んでいるかを措くとしても、このような訴えは父に向けられた批判のように感じられる。そして、全体として別離が表現されていることとから、商業的な音楽に手を染めることに嫌悪感を持っていたシュウォーツに対して、リードが別れを告げているように見えなくもない。リードは「父」のように、あるいは「父」の勧めに従って純粋な詩の世界に入るのではなく、「父」が嫌悪していた世界へと身を投じたのだ[16]。このように読むとき、シュウォーツとリードの関係はエディプス的な対立のもとに置かれるだろう。

しかし、「21歳」という言葉が引っかかる。「夢の中で責任が始まる」の主人公が物語の最後において二一歳になるということが思い出されるからだ。この点を契機として考え直せば、リードは師のシュウォーツと共に「殺される息子」の立場に立っていると考えることが出来るだろう。自己の誕生の起源となった父母の婚姻を制止しようという不可能な夢を見るシュウォーツも、両親によって電気ショックを受けさせられ記憶を粉砕されたリードも、取り返しのつかない出来事によって人生の時間を止められた「永遠の息子」であるのだ。そのように考えるならば、彼らは年齢差を超えた「死者同士」であると言うことが出来る。彼らにとって創作とはすでに死んでいる自己を弔い続けることの別名であったのだ。この奇妙な二人組をドゥルーズ＝ガタリにならって「変則者」と呼ぶことができるかもしれない。「異常」である者は「正常」な者からの逸脱であり、例外であり、システム自体を転覆することは出来ない。しかし、「変則者」は「ただ例外的なだけの個体ではない」のであって、「個体でも、種でもなく、ただひたすら情動をになうものである」[17]。「マイナー」であることの強度。変則的な詩と、変則的な音楽。彼らは、パパやママのもとに帰還するのでもなく、子供をもうけて「家」を作るのでもない。ただひたすら情動をになって、走り、走り、走るのである。パンクの先駆けとも言われる「ヨーロッパの息子」のかき鳴らされるギター、ぶつかり合う不協和音の熱狂、耳障りなノイズを聞くとき、あらかじめ喪われているものの彼方へとシュウォーツと共に遁走するリードの姿が、浮かびあがる。

星条旗の（黒い）星のもとに

――デヴィッド・ボウイと「アメリカ」

デヴィッド・ボウイが亡くなって二日後、二〇一六年一月一三日の早朝のことである。テキサス州オースティン市の片隅で、ある小さな変化が起きた。現場はダウンタウンの南西端に位置する、これといった特徴もない交差点である。この変化を引き起こしたのは、ローランド・スウェンソンという初老の男。ボウイの訃報に接し、オフィスの窓から交差点の標識を眺めていた彼はある感傷的なアイディアを思い付き、機敏にそれを実行に移したのだった。彼は標識作りを仕事とする友人に連絡をし、協力を依頼する。その趣旨に共感した友人は手早くステッカーを制作し、一三日の早朝にそれを標識の上に貼り付けた。その日、市民たちはその交差点の標識がボウイ・ストリート（Bowie Street）からデヴィッド・ボウイ・ストリート（David Bowie Street）へと変化したことに気付くことになる［1］。もちろんこれは厳密には犯罪行為だが、市はそれを不問に付すばかりか、一九日までステッカーを剥がさずにおくことで「ロック・シティ」と称されるにふさわしい度量を示したのだった。

興味深い偶然がここにはかかわっている。まず、アメリカ南部を代表する音楽、映画、メディアの総合イベント「サウス・バイ・サウスウェスト」のマネージング・ディレクターであるスウェンソンのオフィスは、たまたまボウイ・ストリートを見下ろす地点に位置していた。さらなる偶然は、この通りがジェームズ（ジム）・ボウイというテキサス独立戦争の英雄に由来することにかかわる。デヴィッド・ボウイの「ボウイ」という名は、このジェームズ・ボウイ、および彼が所持していたことで有名になったボウイナイフから来ている。つまり、この通りの名前とデヴィッド・ボウイという名前は、全く同じ人物に由来しているのだ。

一九四七年にロンドン郊外で生まれたデヴィッド・ジョーンズがデヴィッド・ボウイという名を用いるようになったのは一九六五年の九月であり、それは、当時絶大な人気を誇っていたモンキーズのヴォーカルのデイヴィ・ジョーンズと紛らわしいからという理由のためであった。後になって彼は、そのような改名の理由を認め、「早い話が〝ジョーンズ〟でなければなんでもいいと思ったんですよ」と、「ボウイ」という名前には何の意味もないと言わんばかりの調子で述べている。しかし同時に彼はこう付け加えている。「でも、それはアメリカという国と深い関係があるんです。僕はこの国にとっても興味を持っているんです」[2]。つまり、本当に「なんでもいい」わけではなかったわけだ。考えてみれば、あれほど「見せ方」に気を配った男が、全く適当に自分のステージネームを決めるなどということはありそうもない話である。ボウイナイフは彼にとって「アメリカ」、特にそのフロンティア神話を象徴する記号だったのであり、彼はその後に次々と行う「変身」の最も深い部分にそれを埋め込んだのである[3]。

もちろん、「アメリカ」だけが彼の起源であったわけではない。彼の人生とキャリアは変転に次ぐ変転を経ており、たった一つの要素が彼のアイデンティティを決定したなどということはありえない。「デヴィッド・ボウイ」は、様々な要素が流れ込んでは、新たな組み合わせを形成するメディアのような存在であった。ボウイはそのことに極めて自覚的で、一九七六年のBBCでのインタヴューでは、ロックンロールはたまたま身につけるのが容易だった道具に過ぎないと明かし、それを続けることによって「自分が自分自身の媒体になる」ことを望んでいると述べている[4]。彼のパフォーマンスや音楽は時代と共に変化し続け、多くのファンを魅了すると共に戸惑わせてもきた。ボウイという存在は特定の記述に還元するには、その内をあまりにも多くのものが通り抜けていったのである。ボウイにおける「アメリカ」の重要性はしたがって、それが二〇世紀後半において最も神話的な含意を持った国家の記号であり、それ自体強力なメディアであったことに基づいている。ボウイと「アメリカ」に似ているところがあるとすれば、それは両者のメディア的かつ神話的な性格である。両者は実在する人間であり国家である以上に、グローバルメディアによって世界に流通する強力な記号であったのだ。

一九五〇年代から六〇年代にかけて、様々なメディアを通じて入ってくる新しいアメリカ文化は、イギリスの若者たちに衝撃を与え、それがまとっていた象徴的な「自由」と「独立」は彼らを酔わせた。ボウイは作家のハニフ・クレイシからのインタヴューのなかで、「13歳で自分はイギリスのエルヴィスになりたいと思ったよ」と述べているが、それはボウイだけでなく彼と同世代の多くの若者の願望であった。人々の人気を集める「スター」というものの神話的な魔力に彼は強烈な欲望を持ったのである[5]。ボウイは大衆メディアによるスターシステムが確立した後で、きわめて自覚的に神話の創生と解体を繰り返しながら、自らをスターへと作り上げた人物であったのだ。

★

一九六〇年代後半は、アメリカという国家が地球の外の星《スター》へと向かう有人宇宙船を飛ばすことで新たなフロンティア神話を開拓していた時期である。ボウイの出生作となった「スペース・オディティ」は一九六九年七月一一日に発売されているが、同年同月の一六日にはアポロ11号が打ち上げられ、二〇日には二人の宇宙飛行士が史上初めて月面に着陸し星条旗を打ち立てる出来事が起きた。もちろんボウイはこの日付の近接を意識しており、人類が初めて月面に着陸する前日に次のように語っている。

「オール・アワー・イエスタデイズ」で第一次世界大戦のドキュメンタリーをやるときに「ビヤ樽ポルカ」を流すように、一九九〇年には「スペース・オディティ」を流すと想像してごらん。［6］

『オール・アワー・イエスタデイズ』とは、二五年前の映画のニューズリールを流して過去を振り返る当時のイギリスのテレビ番組である。ここでボウイが「第一次世界大戦」と言っているのは「第二次世界大戦」の間違いであり、一九六九年当時の放送は一九四四年の状況を流していたはずなので、ボウイがいかに番組の内容そのものには無関心であったかがうかがえる。それはともかく、ここで重要なのは次の二点である。一つは、ボウイが自らの楽曲も人類の月面着陸もメディアの問題として捉えていたということ。つまり、両者とも実在することそのものよりも、それらがメディアを通じて多くの人々に触れるということが重要なのだ。二つ目は、ボウイが発売されたばかりの曲を二五年後の視点から眺めていることである。彼はしばしば「時代とよりそった」アーティストと称されるが、同時に、時間の経過が物事に及ぼす効果についても強い関心を持っていた［7］。現在時に深く没頭するとともに、そこから脱却して現在時の外からも眺めるという二重の視点が彼の作品には備わっているのであり、そのことは自らの死に先立って自分が死んだ後の世界を見るような遺作『★』まで連綿と続くボウイ的な時間構造である。近未来小説によって題材とされ続けてきたことが現実となった瞬間に、彼はそれを過去のものとして懐かしむ視点へと飛躍するのである。

右の引用で述べられたボウイの想像が実現したらどうなるか考えてみよう。アポロ11号の二人の乗組員が地球上では見られないような浮遊感と共に月面を歩くあの懐かしい映像は、アメリカの星条旗を立て、ニクソン大統領からの電話を受けるところでクライマックスを迎えるだろう。冷戦下のアメリカが、宇宙開発競争におけるソ連への勝利を決定的なものとする記念碑的瞬間である。その映像を背景として流れる「スペース・オディティ」は、しかし、地球との連絡が途絶えて宇宙を漂うトム少佐の徹底的な孤独を歌い上げることになるだろう。

そして、私は非常に奇妙な感じで浮いている
そして、星々は今日、全く違うように見える
私はここでブリキの缶に座っているから
世界のはるか上に
地球は青く
そして、私には何もできない

宇宙における絶対的な断絶、孤独、無力感。こうした感覚は、アポロ11号による「成功」に前後して、テレビ中継を通じてそれを見守っていた何千万人の世界の視聴者たちの心の中を密かによぎっていたものである。テレビやラジオを通じて宇宙を二次的に体験した人々は想像上の宇宙を漂っていたのであり、ボウイはそのような想像へと、彼に先行したキューブリックの『2001年宇宙の旅』(一九六八)(「スペース・オディティ」はこれの原題『スペース・オデッセイ』への言及である)、さらにそれにも先立つ、一九五〇、六〇年代のレイ・ブラッドベリらによるSF小説の作品群と共に介入したのである。この歌詞における「私」という一人称は、宇宙空間における個人の身体を聞く者に生々しく感じさせる。「私はここでブリキの缶に座っている」という一行は、冷ややかな印象と共に身体の有限性を喚起するのであり、それは輝かしい月面着陸の神話からは排除されてしまう性質のものである。ボウイの楽曲は、すなわち想像的な次元で不協和音を鳴り響かせることで、「アメリカの国旗」と「大統領の声」という二つの道具立てによる宇宙のアメリカ化に対抗している。実際、先に引用したインタヴューで、彼はこの曲を評して「たぶん、宇宙フィーバーに対する解毒剤(antidote)になるんじゃないかなあ、実際」と述べている[8]。アメリカという国家が成功の証として星条旗を打ち立てた時、ボウイは宇宙空間を写し出すブラウン管を見つめる人々の疎外感に着目したのであり、彼の曲は以後、「疎外」をテーマとして書き継がれていくことになるだろう。このように彼の楽曲はアメリカの神話形成との戯れと対決という形をしばしば取りながら、現実と想像の世界の境界線を揺るがせていく。

★

ボウイ四作目のアルバム『ハンキー・ドリー』（一九七一）に収められた「火星の生活」は、「スペース・オディティ」で描かれた宇宙開発という主題を引き継いでいる。日本盤における邦題では抜け落ちているニュアンスだが、この楽曲の原題は“Life on Mars?”であり、これは「火星の生活（人生）」とも「火星の生命」とも読むことが出来る（以下、曖昧さをあえて残すために「ライフ・オン・マーズ？」とカタカナ表記する）。したがって、この曲のクライマックスを成す疑問文、“Is there life on Mars?”は、文字通りに読めば「火星に生命はいるだろうか？」と取れるのであり、日本盤に付された「火星に人生なんてあるんだろうか？」という訳はそこに響いている二つ目の意味であるのだ。

月面着陸を終えたNASAの次の目標は火星探査であった。『ハンキー・ドリー』が発売されたのは一九七一年一二月であるが、それにわずかに先立つ同年一一月一四日、マリナー9号は史上初めて火星の軌道に入ることに成功し、人工衛星となった。この衛星の撮影した映像は、六〇年代に下火になっていた火星における生命存在説に再び火をつけることになる。ボウイによるこの楽曲の発表は、このような大衆の宇宙への関心を背景としているのである。だが、「スペース・オディティ」と同様、ここでもボウイの宇宙開発に対する態度は冷めたものである。「火星に生命がいるかもしれない」という期待を大衆に持たせ、「フロンティア精神」という強力なアメリカ的神話に訴えて、ソヴィエト連邦との宇宙開発戦争を継続させようとする政府、およびNASAの作り出す神話に対して、この楽曲は明らかに距離を取り、それを解体しようとしている。

この曲の脱神話的構造は、楽曲全体で描かれている物語世界と密接にかかわっている。些細なことから家を飛び出した少女が見る映画、または夢（「彼女は沈み込んだ夢を通り抜け」とある）、として設定されたサビの部分を見てみよう。

ダンスホールでケンカをする船乗りたち
あらまあ！　あの洞穴人たちを見て
奇妙奇天烈なショーだわ
あの警官を見て
間違った男を殴ってる
あらまあ！　知らないのかしら
彼が一番の売り物のショーに出ているってことを
火星に生命なんているのかしら？

この曲の反権力的性格は、少なくともそれが部分的には六〇年代のカウンターカルチャーと結びつくものであることを示している。警官が「間違った男」を殴るというのは、六八年の学生運動でよく見られた光景だし、「洞穴人たち」というのは髪を伸ばしてストリートを歩くヒッピーたち、「船乗りたち」は学生運動で連帯していた学生たちの集団をそれぞれ指していると考えられるだろう。少女が見ている映画＝夢の中のドタバタ劇は、カウンターカルチャーに対する風刺画となっているのである。曲が二番に入ると、アイロニカルなトーンはさらに強まる。まずは歌詞を見てみよう。

苦し気に眉を寄せたアメリカ人
ミッキーマウスは肥えて牛になり
今　労働者たちは有名になろうとしてストライキを起こす
またレノンが発売されたからね
何百万ものネズミの群れを見てごらん

「ミッキーマウスは肥えて牛になり」という表現の持つ反アメリカ的、反資本主義的なニュアンスは明らかだろう。小さくてすばしこかったネズミは今や鈍重な牛に肥え太った、というわけだ。ミッキーマウスのパロディ漫画は多く存在するが、「ライフ・オン・マーズ？」と同時代のものとしては、一九六九年の短い映像作品「ミッキー・マウス・イン・ヴェトナム」が注目される[9]。これは、兵士募集の看板を見たミッキーが従軍してヴェトナムに行き、銃弾に倒れて死ぬというだけのわずか一分余りの反戦風刺アニメである。「ライフ・オン・マーズ？」のミッキーマウスを歌った一節は、この左翼的反アメリカ主義の精神を共有しているが、ボウイは脱神話化をさらに押し進めるために、歌詞の中で「マウス」という言葉を非神話的に用いている。この曲の主人公は「ネズミ色の髪」を持っており、「何百万ものネズミの群れ」という言葉は群衆を指している。ミッキーマウスは実際のネズミと全く姿形が違うにもかかわらずネズミと同一化されることによって強い象徴性を担っているが、ボウイは平凡な人間とネズミという動物を結びつけることで、映像メディア時代における象徴の独占を解体しているのである。

だが、それでは「ライフ・オン・マーズ？」は六〇年代後半のカウンターカルチャーの一翼を担っていると整理できるのかというとそれほど単純ではない。この曲のサビ全体は「ネズミ色の髪の少女」の見た映画＝夢として相対化されており、彼女はその視聴者に過ぎない。少女はそれを一〇回以上も「生きて」（ということは、活動に参加して）飽きてしまっており、それを演じる者たちの目に「つばを吐きかけたい」と感じている。一九七一年はまだまだヴェトナム反戦運動が盛んであった時期だが、ボウイはこのようにすべての「革命」を映像として消費するだけでなく、同じことの繰り返しに失望してそのような運動に飽きてしまった少女の姿を描き出そうとしているのであり、

「軍隊に入って、世界を見よう」
映画『ミッキーマウス・イン・ヴェトナム』（1969）より

「革命」のマンネリ化と商品化が明示されていると考えることができる。同じトーンは「またレノンが発売されたからね」という一節にも響いている。ジョン・レノンの「ワーキング・クラス・ヒーロー」が発売されたのは一九七〇年であった。労働者たるネズミたちは、群れを成してそれを買いに求めたのである。しばしば議論されるように、ジョン・レノンは厳密には労働者階級出身とは言えない。

このように「ライフ・オン・マーズ?」には、「火星の生命」や「ミッキーマウス」などアメリカの資本主義が生み出す神話的象徴を解体する要素と、それへの抵抗を続けてきたカウンターカルチャーの神話化を相対化する要素の両者が混在している。だが、この曲が徹底しているのは、このような曲を発表するボウイが自分自身をも解体しようとしていることである。曲の一番では少女が映画=夢の内容について一〇回以上も経験したことだと言っているが、同じフレーズは二番においては、「僕」が一〇回以上もそれを書いたし、それをまた書かなければいけない、となっている。ここで「映画」を「曲」と置き換えるならば、ボウイが同じような曲ばかりを作っている自分を嘲笑していると取れるのではないだろうか。つまり神話を解体する曲を書くような自分自身の神話性をも解体するという複雑な身振りがここで演じられているのである。このような神話の形成と解体とを一人でしてしまうボウイの身振りは、「スペース・オディティ」の神話を完膚なきまでに解体した一九八〇年の「アッシュズ・トゥ・アッシュズ」ではより分かりやすい形で現れる。

さて、再び「ライフ・オン・マーズ?」というタイトルに戻るならば、先ほど二番目の意味と書いた「火星に人生なんてあるんだろうか?」という問いの輪郭が見えてくる。つまり、少女がどこにも居場所を見出すことが出来ずに絶望して、同じことの反復ばかりで退屈なこの地球上に「人生」がないのならば「火星に人生があるだろうか？」と問いを発していると考えることが出来る。この問いに対するボウイへの答えはおそらく、「ノー」ではないだろう。少なくとも、この楽曲における「私」は、日常から「外」へと離脱して何者かに変容しようとする少女の欲望を受け止め、自覚的に神話を作り出すことによってそれに応えようとしている。彼は翌年、「ジギー・スターダスト」という異星人のペルソナをかぶり、「火星から来たスパイダーたち」と共に、様々な楽曲を送り出すことになる［10］。「ライフ・オン・マーズ？」が「ジギー・スターダスト」というカウボーイ文化やフロンティア神話と結びついたペルソナに先立っていることが重要なのは、ボウイが神話を解体した後で神話を作るという、普通の順序とは逆の、神話作用に対してきわめて自覚的な態度を示しているからである［11］。大衆の欲望をコントロールするような権力による大文字の神話に抵抗しながら、大衆の欲望が不可避的にまとう神話的性格をボウイは対抗神話を形成することで引き受けたのである。神話は嘘だが、しかし、それでもなお必要な嘘であるという機序を彼は深く理解していたのだ。

★

ここまでボウイ初期の二作品に注目して、彼と「アメリカ」の関わりについて考えてきた。彼が本格的にアメリカに活動の拠点を移した後の楽曲における「アメリカ」のあり方については、次章において「パニック・イン・デトロイト」を中心に据えて、その一端を考察することになる。本章では、死の二日前の二〇一六年の一月八日、彼の六九歳の誕生日に発売された最後のアルバム『★』に収められた表題曲「★」に触れておきたい。様々な形で星をテーマとしてきたボウイが最後に残した作品のタイトルには、言葉の代わりに黒い星の象形が置かれている。九分五七秒に及ぶこの楽曲は、一九七七年の『ロウ』以来の実験的意欲作である。複雑なリズムを刻むドラム、スタッカートを多用したサックスは聞く者に切迫感を与え、ジャズミュージシャンたちによる様々な技巧のフィジカルな要素は、ヴォーカルとコーラスにかけられた様々なエコーの機械的な要素と拮抗しながら、奇妙な浮遊感を作り出すことに成功している。また、ボウイ本人が登場するこの作品のミュージックビデオは、「スペース・オディティ」、「アッシュズ・トゥ・アッシュズ」の二曲の宇宙の主題を引き継いでいる。トム少佐を想起させる宇宙服の中には白骨死体があり、彼が「ブラックスター」にたどり着いて死んだという新たな神話を形成する。

「★」の歌詞には謎が多く、多様な解釈に開かれている。だがここでは、「アメリカ」とのつながりとして、この曲がエルヴィス・プレスリーへのトリビュートになっていることに注意しておきたい[12]。同プレスリーは一九六〇年の『ブラックスター』と題されるはずであった自身の主演映画のために、同タイトルの主題歌を書いた。ところが、映画の方がタイトルを変えて『フレーミングスター』となったために、それに合わせて「ブラックスター」という部分だけ歌詞を変えて、「フレーミングスター」としたのである。一九九〇年代になって初めて公開された原曲は、暗く不吉な歌詞を持っている。

男はみんなブラックスターを持っている
男の肩の上にあるブラックスター
そして自分のブラックスターを見るとき、
男はその時が、終わりが来たことを知るのだ

ブラックスター、俺を照らさないでおくれ、ブラックスター
ブラックスター、俺のうしろにいてくれよ、ブラックスター
生きてやらなければならないことがたくさんあるんだ
夢をいくつかかなえるための時間をおくれ、ブラックスター

芸術家や音楽家が生前に発表しなかった作品が死後になって発表されるとき、死の向こう側の世界からその人が語りかけてくるような親密さと気味の悪さの織り交じった感情を覚えるのは珍しいことではないが、それがプレスリーの作品のように「死」を扱ったものである時、そのような効果はますます高められる。ボウイがアルバムを自分の死の二日前に発表することで作り出したのも、そうした死者と生者が音楽を通じて交錯するような幻惑の効果をねらってのことであり、それ自体がエルヴィスの「ブラックスター」が成したことの反復となっているのだ。エルヴィス・プレスリーは、デヴィッ

ド・ボウイと全く同じ一月八日が誕生日であることも重要である。ボウイは一九九七年のインタヴューにおいて、次のように言っている。「信じられなかったよ。彼は僕の偉大なヒーローだったんだから。それで、たぶん僕は愚かしくも彼と誕生日が同じっていうことには何か意味があると信じてしまったんだ」[13]。『★』の発売日が二人の共通の誕生日であることはボウイのプレスリーへの連帯を示すものであり、つまり、「おわり」には「はじまり」が刻まれているのだ。

この「ブラックスター」という曲が使われる予定であったドン・シーゲル監督の作品『フレーミングスター』は、奇しくもテキサスを舞台とした西部劇である。プレスリー演じる主人公は、白人の父親とインディアンの母の間の子で、折からの白人とインディアンのあいだの抗争で、どちらの立場に立つべきか悩まされる。彼の複雑な立場は、インディアンや白人たち双方との対立ばかりか、最終的には父や、母親違いの白人の兄との齟齬や対立をも招いてしまう。そしてそのような疎外された状況の中で、この主人公が振り回す武器の一つが、そう、他ならぬあのボウイナイフであるのだ。すでに触れたように、デヴィッド・ボウイが「イギリスのエルヴィスになる」と決心したのは一三歳であるが、この映画が公開された一九六〇年はまさしくボウイが一三歳になった年である。これは、「何か意味があると信じてしまう」のに十分な符合ではないか？　事実はどうあれ、映画の中でエルヴィスが持つ鋭利なナイフのきらめきがデヴィッド・ジョーンズ少年に人生を決定づける一撃を与えたと、そしてそれが彼の「アメリカ」へと続く通路となったと想像することは神話的に正しいように思われ、それは「ライフ・オン・マーズ？」においてスクリーンに夢を見出そうとする少女へのボウイの共感の思いを少しばかり理解しやすくしてくれる。それらの全てのあいだにスクリーンが媒介しているが、ボウイが住み、描き出した世界とは常にすでにメディアによって内包された世界であり、だからこそメディアの時代に生きる我々の共感を呼ぶのである。スクリーンは切り離すのではなく、接続するのだ。メディアの中の人物に憧れ自らをメディア的な人物へと変容させていくことが全く断絶された孤独な試みでないことを、彼は神話の創生と解体を繰り返しながら示したのである。

"Can I Be Real ?"

——アメリカ時代のデヴィッド・ボウイにおけるフェイクとフェイム

二〇二〇年五月九日、リトル・リチャードの死。

二〇二〇年五月二五日、ジョージ・フロイドの死。

二週間をおいて、世界は二人の訃報に触れることになった。一人は、「A wop bop a loo bop a lop bam boom!」という魔法のようなイントロで、ロックンロールという音楽の世界を切り開いた。もう一人は、ミネアポリスの近郊で警官によって拘束され、首と背中を圧迫されて死亡した。その死後、人種差別撤廃、警察予算の削減を訴える「ブラック・ライブズ・マター」の運動は全米、そして全世界に広がった。この章の草稿はこれらの出来事が起きるよりも前に書かれ、基本的には前章を引き継ぐデヴィッド・ボウイ論であるにもかかわらず、この二人の黒人の死とかかわりを持っている。なぜならそれは、ボウイのアメリカにおける「黒さ」との対峙をめぐるものであるからだ［1］。


前章で述べたように、ボウイはアメリカという国家の作り出す神話を利用し、しばしばそれと対決してきた。NASAの先導する宇宙開発によって人類が月面着陸したのと同時期に「スペース・オディティ」を作曲し、火星探査の進行中に「ライフ・オン・マーズ」を作曲した。どちらの曲の歌詞にも、宇宙開発を揶揄するような表現が現れる。その後の「ジギー・スターダスト」というペルソナを主軸としたアルバム作成及びライブ活動にも見られるように、一九七〇年代初頭のボウイは宇宙開発というきわめてメディア的事象と戯れを演じながら名声を獲得したのだ。また、ボウイという名前、および彼の最後のアルバム『★』が、エルヴィス・プレスリーを参照している可能性も指摘した。

NASAによる宇宙開発やエルヴィス・プレスリーのロックンロールのようにメディアによって増殖されたイメージは、少年のときの自分を「アメリカマニア」であったと語るボウイにとって、創作活動の重要な原点であった［2］。

しかし、ボウイにとって、アメリカは宇宙開発とエルヴィスの神話だけによって代表されるものではもちろんなく、実際に彼が音楽活動を展開していく舞台であった。この観点から、前章の議論は本章によって補われなければならない。ボウイは一九七二年九月に「ジギー・スターダスト・USツアー」でアメリカにはじめて上陸し、ポスト・ビートルズ世代のブリティッシュロックをアメリカにもたらした。一九七三年のアルバム『アラジン・セイン』には、様々なアメリカでの経験が反映され、歌詞にはアメリカに関連した固有名が現れる。一九七四年の六月から一二月に北米で行われた「ダイアモンド・ドッグス・ツアー」の時には、コンサートのあいまにニューヨークの黒人街であるハーレムに行き、ザ・テンプテーションズやマーヴィン・ゲイをはじめとするソウルミュージックのコンサートに通っていた［3］。このように、ボウイはアメリカに滞在するうちに、アメリカの様々な地域性に触れるとともに、R&Bやソウルという黒人音楽の世界に引き込まれていった。「ダイアモンド・ドッグス・ツアー」の後半からバンドメンバーを入れ替えて、ソウルミュージックのテイストを強く押し出したのもそのような変化の現れである。そして、一九七四年九月から翌年一月にかけ、このツアーの合間を縫って、フィラデルフィアのソウルミュージックのレコード会社であるシグマレコードで、彼の新しいアルバムである『ヤング・アメリカンズ』を録音している。宇宙的なものからアメリカという土地に根付いた音楽への重心のシフトは、やはり、彼自身がアメリカに滞在することによって生まれたものであったと考えられる。以後長くツアーに帯同するようになったギタリストのカルロス・アロマーは、一九七四年に出会ったころ、ボウイがあたかも長年アメリカに住んでいたかのように、「ヘイ、メン」とか「ザッツ・クール」といった「典型的にアメリカンな」フレーズを口にしたことを覚えている。それまでにジェームズ・ブラウンなど演奏した経験のあるアロマーは、ボウイが黒人音楽についての幅広い知識を持っていたことを受け合っている〔4〕。

デトロイトという都市は、一九七〇年代前半のボウイに強い印象を与えた。それまでいわば「神話」を通して「アメリカ」という記号的国家を外部から眺めていたボウイは、生活者たちが日常生活を営む場所としてのアメリカに初めて出会ったのである。ボウイが生涯を通じて重要な関係を結ぶミシガン州出身のイギー・ポップは、MC5と共に当時のデトロイトのロックシーンを代表していた。自動車産業で有名なデトロイトは住民の過半数を黒人が占める労働者の町であり、一九四〇―五〇年代には デトロイト・ブルースが、一九六〇年代にはモータウン・レコーズによるR&Bが盛んであった黒人音楽の町である。ロンドン郊外に生まれ育ったボウイにとって、デトロイトはそれまで生活してきたいかなる場所とも異なっていたが、奇妙に馴染みのある街でもあった。一九九三年のBBCのインタヴューにおいて、彼は次のように言っている。

ここには僕がずっと語って来た別世界があったんだ。ありとあらゆる暴力、変なもの、奇異なものがあって、それはまさに今起きていることだったんだ。それは現実の生活で、ただ僕の曲の中にあるだけのものではなかった。とつぜん、僕の曲が的外れなものではないように感じられたよ。僕たちが見知って来た諸状況、僕が聞いてきた言葉、僕の耳をとらえた真のアメリカニズムといったものが、はじめてちゃんと形になったんだ。デトロイトのような場所をいくつかちょっと見るだけでも、本当に想像力を刺激されたよ。すごく荒っぽい町で、まさしく僕が書いていたような場所だったからね。「まったく、こういう場所は本当に存在して、人が住んでるんだな！」って思ったよ。〔5〕

デトロイトのような都市に触れて、それまで頭の中で想像していた「アメリカ」が初めて現実の姿を取って現れたように感じられた、とボウイは述べている。『アラジン・セイン』に収められた「パニック・イン・デトロイト」はしたがって、ボウイのそれまでの曲の中で最も具体的にアメリカ的現実に触れているが、他方でそこには彼が『ハンキー・ドリー』あたりから繰り返し描き出してきたアメリカのイメージの反復も見ることができる。今引用したボウイの言葉には、"real"という言葉が何度も出て来るが、「reality とは何か」ということはボウイの生涯のテーマの一つだった。デトロイトという都市は、そのテーマの重要な触媒となったのである。それでは、デトロイト体験は、ボウイにいかなる変容をもたらしたのだろうか。

1 「パニック・イン・デトロイト」と革命に遅れてきた男

「パニック・イン・デトロイト」という曲は音楽的には「ボ・ディドリー・ビートに乗ったサルサの変種である」という特徴を持っている、と言われる。黒人R＆B歌手で一九五〇―六〇年代に一世を風靡したボー・ディドリーが作り出したビート・パターンは、一九六四年にローリングストーンズが取り入れたことによって、ロックンロールの世界でも広く使われるようになっていた。「パニック・イン・デトロイト」においては早速冒頭のギターリフにこれが現れる。すぐあとにコンガ・ドラムが加わり、サルサ・ミュージックのサウンドが現れる。サルサ・ミュージックは、中米土着の音楽ではなく、一九七〇年代にキューバ、プエルトリコ、ドミニカなどの移民によってニューヨークで完成し、流行したもので、ボウイがこれを使った時にはまだ新しい音楽だった。またこの曲にはソウルミュージックによく使われる女性のグループコーラスが用いられており、ロックミュージックの典型からの逸脱が目指されている『アラジン・セイン』の中でも、特に「黒さ」が強調された楽曲になっている[6]。これは当然、デトロイトという町の「黒さ」と重なっていた。イギー・ポップは、後にMC5を黒人ミュージシャンたちのパロディだったと評し、「デトロイトでは、もし白人なら、黒人の野郎みたいにギターを持ってプレイするというのが夢なんだ」と言っている[7]。

この曲は、ボウイがアメリカに来てから知り合い、生涯の友人となったイギー・ポップが一九七二年一〇月に会った時にボウイに語った、デトロイトでの一九六七年の暴動の話をもとに作られたと言われている[8]。一九六七年の夏といえば、西海岸ではヒッピーたちが物質文明を否定し、ヴェトナム反戦運動を展開した「サマー・オブ・ラブ」によって記憶されている。だが、同じ夏に人種暴動の嵐が全米に吹き荒れており、これは「一九六七年の長く、暑い夏（"Long, Hot Summer of 1967"）」と呼ばれている。七月二三日から二八日まで続いたデトロイト暴動は、全米各地で六月下旬以来起きていた一五九件もの人種暴動のなかでも最大のものであった。発端はライセンスを持たないパブでの深夜の酒販売に対して警察が行った取り締まりへの客たちの反抗だったが、結果的に暴動は五日間続き、その鎮圧にはミシガン州兵が動員された。この暴動には、自動車産業で単純労働に従事する労働者たちへの社会的な差別に対する不満が爆発したものという性格もあったが、一九六三年にキング牧師の行進、一九六三年から六五年にかけてマルコムXの有名なスピーチが行われ、公民権運動の中心地の一つとなっていたデトロイトにおける黒人の白人に対する革命的暴動という側面もあり、実際、死傷者や逮捕者の大半は黒人労働者たちだった[9]。

この暴動の前後においてソウルミュージックは急進的な黒人の公民権運動主導者たちによって、自分たちの改革を推し進めるものと捉えられていた。たとえば、「武器としてのリズム・アンド・ブルース（"Rhythm and Blues as a Weapon"）」という一九六五年の『リベレーター』掲載の記事は、「マーサ＆ザ・ヴァンデラス（Martha and the Vandellas）」の音楽に黒人革命の響きを聞き取ろうとしていた[10]。彼女たちの「ダンシング・イン・ザ・ストリート」（一九六四）は、次のように始まる。

世界中に呼びかけよう
全く新しいビートへの準備は出来てる？
夏がきた　今こそ
ストリートで踊ろう

まさに「新しいビート」による「路上のダンス」の季節が到来していた。きわめて象徴的なことに、一九六七年七月二三日、デトロイト最大の劇場フォックス・シアターでこの曲を歌い終えた彼女たちは、迫りくる暴動のために会場を後にしなければならなかった〔11〕。マーサ・リーヴスは自分の曲を「パーティーソング」に過ぎないと言ったが、アメリカ中の諸都市の名前に触れて路上のダンス・パーティーへと誘うこの曲は、確実に時代とシンクロしていた。ボウイは一九八五年のアフリカ難民救済を目的としたライブエイドのために、ミック・ジャガーとともに、歌詞中のアメリカ諸都市の名を世界の諸国の名に変えて、この曲をカヴァーすることになる。

このようなことを念頭において、暴動から五年後にボウイがリリースした「パニック・イン・デトロイト」を聞くならば、そこに聞かれるのは革命と動乱の六〇年代に乗り遅れた外部者の視点である。ボウイの「パニック・イン・デトロイト」は、怒れる黒人の魂と無縁であるだけではなく、ブラック・パンサーに賛同し公民権運動を推進した白人グループ、ホワイト・パンサーのリーダーの一人、ジョン・シンクレアに対する皮肉に満ちているのだ[12]。

ホワイト・パンサーは、一九六八年一一月一日、デトロイト・アーティスツ・ワークショップを母体とし、ブラック・パンサーの創始者のひとりであるヒューイ・P・ニュートンの白人側への呼びかけに応える形で、ミシガン州のアナーバーとデトロイトを活動拠点として結成された。このホワイト・パンサーは名前や組織構造こそブラック・パンサーに倣ったものだが、その活動内容は反人種差別運動にとどまらず、反資本主義的で、「ロックンロール、麻薬、路上でのファックを含めた、あらゆる手段による文化に対する全面的な攻撃」を通じた「自由」の獲得を謳う、きわめて六〇年代的なニュー・レフトの運動体だった。グレイス・エリザベス・ヘイルは、六〇年代の米国において「白人の活動家たちはアフリカ系アメリカ人の「権威」を彼ら自身の解放のため」に用いたと指摘している[13]。ホワイト・パンサー党は組織についてはブラック・パンサー党を模倣し、共闘を謳ってはいるものの、それは彼らの反社会的な振る舞いへの口実ともなっていたのだ。

ジョン・シンクレアは「革命」という言葉と結びついたMC5のマネージャーであり、詩人であった[14]。彼は当時まだJ・エドガー・フーヴァーが長官を務めていたFBIに目をつけられ、一九六九年にマリファナ所持のために懲役一〇年の服役を言い渡されて投獄された。この刑を重すぎるとして、ミュージシャンたちは彼の釈放を求めて様々なコンサートを開き、一九七一年の一二月のアナーバーで行われた「ジョン・シンクレア・フリーダム・ラリー」ではジョン・レノンとオノ・ヨーコが「ジョン・シンクレア」という曲を発表した。"It ain't fair, John Sinclair." という出だしで始まるその曲は、「釈放しろ！」とストレートに訴えている〔15〕。実際に、ジョン・シンクレアは三日後に出所することとなった。政治とロックンロールが最も緊密に結びついた瞬間の一つであると言えるだろう。

翌一九七二年の秋に書かれた「パニック・イン・デトロイト」はすでに述べたようにジョン・シンクレアを徹底的に揶揄したものだが、その冒頭の歌詞はレノンの「ジョン・シンクレア」とは対照的な屈折を感じさせる。

彼はチェ・ゲバラによく似てた
ディーゼル・ヴァンを運転し
銃を秘密の場所に隠し持つ
なんて用心深い男！
彼はナショナル・ピープルズ・ギャングのたったひとりの生き残り
デトロイトのパニックさ
ぼくはサインをせがんだけれど
彼は家にいたがった
誰か電話してあげればいいのにと思うんだ
デトロイトのパニックさ〔16〕

「チェ・ゲバラにとても似た人」というジョン・シンクレアに対する形容は、ボウイ一流のユーモアである。たしかにジョン・シンクレアは長髪で髪はカールしており、ひげも蓄えているが、とてもあの革命のアイコンである「チェ・ゲバラ」に似ているとは言いがたい。キューバ革命の闘士チェ・ゲバラはデトロイト暴動の起きた年と同じ、一九六七年に亡くなっているが、その肖像はすぐに商業的な価値を持つアイコンとして出回るようになっていた。ボウイの歌詞は、見た目がこの革命家に「似ているかどうか」を問題にすることで、彼が成した革命によってよりも、有名な肖像写真によって知られるようなポップアイコンとなったことを示している。「革命」は一種のファッションとなり、この歌詞の「ぼく」は、「家にいる」ことを望んでいる「彼」にサインを求め、「僕の大好きなスロットマシンを壊しに」走るのだ。もちろん、これは革命ではなく、その破壊的な面を真似ただけの、ただの暴動である。「チェ・ゲバラに似ていること」のほうが「チェ・ゲバラのように行動すること」よりも重視される時代において、六〇年代のカウンターカルチャーは「抵抗の身振り」の商業化に呑み込まれたことをこの曲の歌詞は示している。

後半の歌詞を見てみよう。

ぼくは1兆ドルを得点し家に走り帰ると
机に伏せった彼の姿に出くわした

銃と　ぼくは　ひとりきり

「革命ごっこ」から戻ってきた「ぼく」が群衆の狂騒から離れて「ひとりきり」になるというのは、きわめてボウイ的なモメントである。銃を秘密の場所に隠し持つ「用心深い」男であったはずの「彼」は、机に伏せっている。彼は自殺したのだろうか？　それとも、誰かに殺されたのか？　ともかく、銃と「僕」だけが残される、という光景は革命の季節の終わりを印象づける。ボウイはこの曲を通じて、一九六〇年代後半の反戦運動や公民権運動が夢の世界のように感じられるような一九七〇年代前半における「遅れ」の感覚を表現しているのだ。

そのアイロニーは、彼の政治的なものからのデタッチメントと、遅れてきた者の疎外感を示している。ジョン・レノンとオノ・ヨーコがロックを政治に近づけるラリーを開いたのがこの楽曲の作られる一年前に過ぎないことを考えれば、ボウイの政治的参加に対するアイロニカルな距離は際立っている。ＭＣ５のウェイン・クレイマーが後になって自分たちは「政治的にまったく正しくなかった」と認め、むしろ「性差別者のろくでなし」であったと述べているが、黒人のオーセンティシティの傘を借りた「ホワイト・パンサー」の「革命」の偽物性をボウイは冷たく見抜いていたのかもしれない[17]。

2　真摯な偽物性――フェイクとフェイム

このように「パニック・イン・デトロイト」において、ボウイは黒人音楽を断片的に利用しながら、歌詞においてはホワイト・パンサーの指導者の偽物性を暴き、その死を描き出している。しかし、彼が偽物だと思っているのはある特定の対象についてだけではない。彼にとって、世界はもともと偽物で満ちているのだ。そのような「遅れてきた青年」の視点は、一九七〇年代のいわば「祭りの後」の世代の共感を生んだのだと思われる。したがって、ボウイがカウンターカルチャーの偽物性を揶揄したからといって、彼がそれを批判する立場に立っているというわけではないのだ。ボウイとは、自分を含めて、どのような「立場」もフィクションに見えるということを示したミュージシャンであった。

一九七四年におけるボウイのソウルミュージシャンへの転身は、「アメリカ」的なものを身にまとうという意味においても、黒人音楽を白人が歌うことでカラーラインを越境するという意味においても、真摯な「偽物性」への挑戦であった。一九七八年に、あるインタヴュワーは『ヤング・アメリカンズ』のことを「ジョーク・レコード」と呼んだが、ボウイはそれを即座に否定して、次のように言っている。「あれは真摯なプラスティック［ここでは「作り物の」の意］・アルバムだった。アメリカの黒人音楽についての僕の見方をイギリスの白人の立場から描いた、自分についてのものなんだ。その内部に関わるのではなく外側から眺める者のね」[18]。『ヤング・アメリカンズ』というアルバムが特異であるのは、『ジギー・スターダスト』、『アラジン・セイン』、『ステーション・トゥ・ステーション』といった前後のアルバムがそれぞれボウイの演じるペルソナと結びついており、ライブの時には衣装やメイクによってそれらの人物へと変身をしていたのに対し、ソウルミュージックを歌う時のボウイはネクタイを締めた「彼自身の姿」――という言葉に語弊があるとすれば、ペルソナ的な役名を何も持たない状態――で登場し、歌っているということにも表れている。この「変身」は見た目に現れるようなものではなく音楽的なスタイルの変化であり、「アメリカ音楽をする」という自覚的な変化であったと言えるだろう。ペルソナをまとうのを止めるのと引き換えに、このアルバムを境にボウイは、明らかにそれまでは使うことのなかった低い声を使うようになり、身体的変身を遂げている。しかし、こうした「変身」は見た目に現れないがゆえに、自我の分裂するような、あるいは「リアリティ」に亀裂をもたらすような危険性を孕んだものでもあった。

リアルとフェイクはここでは糾える縄のようである。一方で、彼はイギリス生まれの白人である自分が「アメリカ音楽をする」ことがフェイクであるという意識を持っていた。自分のソウルを「プラスティック」と呼ぶのはそうした意識の現れである。この意味ではブラックワナビーであるボウイの自己は、「パニック・イン・デトロイト」で揶揄したホワイト・パンサー党とも重なる「偽物」であるのだ。しかし、他方で、「アメリカ音楽」こそは彼の音楽活動の原点であり、ソウルミュージックに耽溺することは幼い時の記憶に回帰するような甘美さを孕んでもいたに違いない。実際、一九七五年の一一月四日に音楽番組『ソウル・トレイン』に出演した時、彼は「いつソウルミュージックに興味を持ったのか」と聞かれて、「イギリスに住んでいた一〇代の時にすでに聞いていた」と答え、ジェームズ・ブラウンの名前をあげている。つまり、この「偽物性」には「本来性」が宿っている。「黒さ」は、初めから彼の音楽の一部であったのだ。黒人音楽の中心地の一つであるデトロイトが、彼にとってなじみのあるものに感じられたとしても不思議ではない。

こうした「アメリカ」とボウイ的な変転する自己意識の関係性は、『ヤング・アメリカンズ』に収められた「フェイム」、ならびに収録されなかった楽曲である"Who Can I Be Now?"に顕著に現れている。

「フェイム」において、ボウイは自分が間接的にではあれ揶揄したことのあるジョン・レノンと共作することになる。そしてすでに音楽界での「名声《フェイム》」を得ていた二人が「名声」についての曲を作り、歌ったのだ。パオロ・ヒューイットは「ボウイとジョンは、ニューヨークのナイトクラブで出会い、何時間も名声について議論した。二人ともあれほど名声を望みながら、いざそれをつかむと想像していたものとは違い、幻滅していた」と述べている[19]。「名声は物事が空疎な世界に身を置くようになるだけだ」と歌うこの曲は、たしかに名声についての幻滅を語っている。

ボウイは様々な主義主張から距離を置いたスタンスを取っていたが、たとえば『ジギー・スターダスト』の「スターー」に見られるように「有名になること」については時に驚くほど楽天的な歌詞を書いていた。北アイルランド紛争への言及を含むこの一九七二年の曲は、「役を演じるのは魅力的なこと」と歌い、ロックンロールを通じた現実の変革を肯定している。一九七四年の「パニック・イン・

デトロイト」はこれとは対照的に、革命が名声の問題に矮小化している様子を描き出しているが、それはまだ名声こそは何者かであるという彼のひそかな信仰に支えられていたとも言うことができるだろう。しかし、『ヤング・アメリカンズ』の完成間際になって差し込まれた、名声への失望を歌う一九七五年の「フェイム」は、自らの「黒さ」への擬態に対するアイロニーともなっている。もっとも、この曲によってボウイは初めてビルボードチャートでNo.1ヒットを飛ばすことになり、皮肉にも新たな「名声《フェイム》」を獲得することになった。『ヤング・アメリカンズ』の「フェイクなオーセンティシティ」は、自らを実存的な窮地に追いやる危険性を孕んでいた[20]。

「フェイム」が制作中の『ヤング・アメリカンズ』に急きょ加えられることになって、彼はすでに録音の終わっていた二つの曲をアルバムから外すことにする。そのうちの一曲は"Who Can I Be Now?"というタイトルを持つ、当時流行していたフィラデルフィア・ソウルの流れを汲むナンバーであった。そこにおいてボウイは、内省的に「今度は自分はいったい何になれるだろうか?」「自分はリアルでありうるだろうか?」と繰り返し問うている。これは変身を繰り返しながら、リアルなものと想像的なものの境界線を揺るがし続けてきたボウイの、実存的不安を示しているのではないか。実際、一九七六年にアメリカを出てベルリンに向かった時に彼がボロボロの状態であったとされるのは、一つにはドラッグの所為だが、もう一つはここに歌われた「私はリアルでありうるだろうか?」という問いに根差したものであったと考えることができるだろう。「黒さ」への憧れと擬態、さらにはそれによる成功という彼のアメリカにおける体験、いやアメリカという体験は、最終的には彼をリアリティの淵へと追い詰めることになった。「パニック・イン・デトロイト」の歌詞の最後において残された銃は、取り残された語り手の「私」自身へと発砲される可能性を秘めていたのである。

すべての荒廃の後で

——アクロン、メンフィス、デトロイト、そしてパターソン

ジャームッシュ一九九五年の作品『デッド・マン』の冒頭には、「死者とは旅をせぬほうがよい」というアンリ・ミショーの詩句が引かれている。しかしこの警句にもかかわらず、ジャームッシュの観客にとって、死と旅の関わりはきわめてなじみの深いものである。もっとも死体そのものを彼の作品に見出すことはそれほど多くない。むしろ、大方のハリウッド・アクション映画と比べれば、（『ゴースト・ドッグ』［一九九九］を例外として）画面に現れる死体の数は少ないと言っていいだろう。しかし、死の気配はジャームッシュ映画のうちにきわめて濃厚に漂っている。タイトルそのものが死者性を明示している『デッド・マン』を例に取ると、この彷徨する主人公――ジョニー・デップ演ずるクリーブランド出身の会計士ウィリアム・ブレイク――が職を求めて訪れる街「マシーン」において最初に目にするのは棺桶を作っている家であるし、後に登場するネイティブ・アメリカンの男ノーバディは主人公を同性同名の大詩人ブレイクの生まれ変わりとして丁重に扱う。ノーバディは銃弾に傷ついたブレイクを種族の風習にならって死への船出へと導くことになるだろう。あるいは同作において、ブレイクが森の中で死んでいる小鹿に寄り添って身を横たえる美しい場面は、死と共にある生命の時間を切り取っている。『デッド・マン』だけではない。生のうちに死が確実に浸透している、あるいは死者が映画という表象芸術を通じて幽霊的な帰還を果たす。『パーマネント・ヴァケーション』以来のすべてのジャームッシュ作品は、そのような生と死が互いに絡み合った世界を創っている。ジャームッシュは映画という媒体を根源的に幽霊的なものの棲みつく場であると考えているのかもしれない。

死者と共に旅をするのに、アメリカのさびれた都市はうってつけである。アメリカの荒廃した都市というのは、本当に救いようもなく荒廃しているのであって、しかもその荒廃地域にもかなりの年数が降り積もっている。そのような場所では、舗装道路は穴だらけであり、アスファルトの隙間からは雑草が生い茂り、交通標識はさび付いたり傾いたりし、路肩には車のタイヤの切れ端が落ちていたり、ときには炎上している車に出会うことすらある。半ば崩れ落ち、さまざまな落書きがされた廃屋の立ち並ぶ通りには野良犬が闊歩し、街灯は点いているもの、消えているもの、点灯しているものが不規則にあって、どこから湧き出たのか不可思議な色の汚水を照らし出す。とりわけ中西部の諸都市にはこのようなゴーストタウンとなった地域が必ずあるのだが、ジャームッシュはそのような場所に進んでカメラを向ける。彼の映画に現れるのはこぎれいなホテルやおしゃれなバーなどではなく、ぼろぼろのモーテルやホテル、それにくたびれたバーや映画館であって、彼ほどワーキングクラスの視線からアメリカを撮る映画作家は多くない。だからこそ、彼の撮った風景はそれ自身の資格において語りだすのだ。

*

おそらくジャームッシュ作品の中でも最も荒廃した風景を撮っているのは、デビュー作『パーマネント・ヴァケーション』(一九八〇)だろう。作品冒頭にはさまざまな人種の多くの人々がにぎやかに行きかうニューヨークの通りが映し出される。しかし、ショットが切り替わると、今度は紙くずやごみの散乱したビルの谷間にある無人の路地が映される。その異化効果、ショック作用は明らかだ。冒頭しばらくの間繰り返し交互に現れるニューヨークの生と死を映し出した対照的な二種のショットは、すでにジャームッシュのニューヨーク表象への意思を物語っている。実際、この映画においてニューヨークは人が思い浮かべるような大都市ではなく、主人公アリーが彷徨するのは荒廃した地区ばかりであり、それは確実に彼の心の荒廃や空虚さを映し出してもいる。彼の住むアパートには床に直接マットレスが敷かれ、あとは大きな鏡や椅子が無造作に置かれた殺風景なものであるし、父は不在、母は精神病を患って施設に入っている。彼は、どこかに旅に出る前に「両親が住んでいた家」を訪れると言う。「戦争で爆撃をうけた。／がれきの中を歩き／もう一度　家を見たい。／どう破壊されたかを見たい」。ここで、彼がどの「戦争」のことを指しているのかは不明である。直後の場面で廃屋を訪れた彼は、そこに深刻な戦争後遺症を負った青年を見出す。その青年はヘリコプターの飛ぶ音を聞くと爆撃機だと思って、身をかがめるのである。ヴェトナム戦争の帰還兵かもしれない。青年が廃屋の中に住んでいると言うと、アリーは「こんなところは出たほうがいいよ。僕もそうするんだから」とアドバイスをする。

　ここで、この場所が本当にアリーの実家であるかどうかというのは問題ではない。おそらく、そうではないだろう。廃屋は家というよりは何かの施設に見える。そして青年の幻聴が表現されているのか、爆撃音すら聞こえる。しかしそうしたことよりも、故郷は破壊されてあるということが重要なのだ。父母の住んでいた家はない。父母は消滅している。ジャームッシュは親子の主題を放棄することをここで宣言していると言ってもいいかもしれない。親は不在である。戻るべき故郷（ホーム・スウィート・ホーム）はない。荒廃した都市の風景はジャームッシュ作品においてトラウマ的原型である。タイトルの「永遠のヴァケーション」というのはそういうことではないか。

廃墟こそがジャームッシュの原風景である。彼の出身地、オハイオ州のアクロンはゴムとタイヤで発展した中都市である。「世界のゴムの都」と呼ばれた時期もあり、前章で考察した自動車の都デトロイトと共存共栄してきたのである。しかし、その地域の経済は、やはりデトロイト経済と共に、一九七〇年代から長い下降を続けてきた。現在のアクロンは、トランプ政権誕生に力を与えた典型的な「ラスト・ベルト」の一都市であり、「忘れられた人々」の住む場所である。ジャームッシュはアクロンには「溶け込めなかった」と言っているし、以後もアクロンを決して褒めたたえたり、懐かしがったりはしていない。あるインタヴューでアクロンについて聞かれたジャームッシュは、「かなり気が滅入る場所だ」とか「いつか出て行きたいような場所。なにもすることがないんだ」などと述べている［1］。しかし、彼にとってアクロンが無意味な場所であったということではない。『ストレンジャー・ザン・パラダイス』（一九八四）によってジャームッシュが一躍有名になった直後に収録されたインタヴューで、インタヴュアーのハーラン・ジェイコブソンは「『パーマネント・ヴァケーション』を見たとき、アメリカの真の姿をみたように思いました」と述べ、アクロンの風景に結び付けている。つまり、この映画に現れた寒々しいニューヨークの光景は、実のところ、監督自身の生まれ故郷を反映しているのではないかということだ。これは慧眼である。ジャームッシュは次のように応じている。

「ここの工業化された風景にはすごく愛着がある。とても哀しげで、そしてとても美しいなにかを感じるんだ。アクロンで育ったからノスタルジーを覚えるだけなのかもしれないけど、大都会とかきれいな森林地帯なんかよりもこっちにアメリカを感じるね。おそろしく醜悪だけれど、とても美しいとも思ってる」[2]。つまり、ジャームッシュはアクロンを退屈と思いながらも、アクロンに代表されるようなくたびれた工業都市の荒廃に「美しさ」を見出しているのだ。荒廃した原風景に呪われているかのように、彼は荒廃した場所を撮り続けることになるだろう。ジャームッシュはポスト・インダストリアル社会が逆説的に生み出した職人肌の映画作家なのである。

都市の退屈さを「何もすることがない」と表現するのは洋の東西を問わないが、アメリカの地方都市の恐るべき画一性というのは確かに特筆すべきものがある。判で押したようにウォルグリーンにウォルマート、マクドナルドにサブウェイがあり、全国どこでも同じ商品とサービスを提供している。初期のジャームッシュ作品における旅は、拍子抜けするほど実りの少ないものであり、このような「どこでも同じ」感覚を描いている。『ストレンジャー・ザン・パラダイス』においてハンガリーからおそらく淡い期待を抱いて「新世界」に来たエヴァは、一年後には、彼女が住んでいる伯母の家のある（アクロンにほど近い）オハイオ州クリーブランドを「退屈なところ」と言うようになるし、そのエヴァに会いにクリーブランドを訪れたエディーは「新しいところへ来たのに、何もかも同じに見える」と相棒のウィリーにつぶやく。その後、せっかくクリーブランドに来たから何かを見なければということで、三人でエリー湖のほとりに行くのだが、猛吹雪で何も見えない。さらに、同作の終わりで、エディーとウィリーがエヴァをフロリダへの旅に誘い出すのに成功した時は三人ともワクワクしているのだが、フロリダに入って最初に泊まるモーテルはうんざりするほど「どこにでもある」ものである。『ダウン・バイ・ロー』(一九八六)においても、脱獄した男三人組が偶然に行きつく無人の小屋は二段ベッドの配置まで彼らが逃げてきたばかりの監房とそっくりで、登場人物のジャックは「見たような部屋だ」と呟くことになる。もちろん、旅をすればまったく同じところに行きつくはずはない。しかしながら、違う環境を期待していた者には失望をもたらすような「どこでも同じ」感覚が初期ジャームッシュの世界を覆っており、見る者にユーモアの感覚を伝えるのである。

*

このような空虚で荒廃した中西部の都市空間に変化を与えるのが「観光」という視点である。駅に到着する鉄道を俯瞰するショットから始まる『ミステリー・トレイン』(一九八九)は、テネシー州メンフィスを舞台とした互いに関係した三つの物語から成っているが、その第一部はジュンとミツコという日本人観光客のカップルの物語である。彼らはエルヴィス・プレスリーとカール・パーキンスに憧れて、この地を訪れている。そしてエルヴィスの家であるグレイス・ランド、それにエルヴィスやパーキンスをはじめとするミュージシャンのレコードを収録したサン・スタジオを訪れる。今でいうところの「聖地巡礼」である。実際、ジャームッシュ自身も「巡礼」という言葉を用いて次のように語っている。

メンフィスに来る日本人キッズの考え方には、気に入っているところがある。たとえばイタリアに来た旅行者の場合、ロマン主義の詩人がそうだったみたいに過去の文明の跡地を訪ね歩くわけだ。で、これが未来のアメリカだったら、アメリカ帝国の衰退後――確実にいま進行中だけど――、東とかどこかから来た外国人にとって訪ねなければならない場所はロックンロール・スターやムービー・スターの家ということになるはずだ。これこそ僕らの文化を究極的に集約しているものだからね。だからメンフィスへ行くということは、ある意味、この文化のひとつの出生地を巡礼することでもある。[3]

作品中でサン・スタジオに着いたジュンとミツコは、館員から施設についての歴史的な説明を受ける。二人はほとんど英語を聞き取れていないのだが、もちろん訪れること自体に意義があるのだ。ジョン・アーリの言葉を使えば、彼らは「場所の消費者」であると言えるだろう[4]。実際、彼らはたどり着いたメンフィスにおいても、横浜駅とメンフィス駅のどちらがいいか、エルヴィスとパーキンスのどちらが優れているか、といった記号的な議論にふける。このような議論が実際の土地の現実と交わることはないと断じるのは早計であって、一九八〇年代以降メンフィスは実際にこのようなポストモダン的な「聖地」としての価値を自覚的に利用する形で観光産業を発達させていった。ジュンとミツコのように、記号的メンフィスを消費する観光客は増加の一途を辿っており、そのことが都市のあり方に影響を与えているのだ。映画には実際に映ることはないが、エルヴィスの住んでいたグレイス・ランドは一九八二年に一般公開され、その後改修と周辺施設の充実を続け、現在ではメンフィス最大の観光資源の一つとなっている。また、この映画が撮られた当時は閑散としていたらしいブルースの聖地ビール・ストリートは、いまでは賑わいを取り戻し、全くタイムスリップしたかのような一九五〇年代の音楽を熱狂的に演奏する地となっている（ロカビリーが連夜これほど熱狂的に演奏される通りは世界広しといえども、またとないだろう）。さらには、キング牧師の暗殺されたホテルをその一部とする国立市民権運動博物館は一九九一年に、ロック・アンド・ソウル・ミュージアムは二〇〇〇年に開館している。このように、過去の歴史的遺産はメンフィスにとって重要な収入源なのだ。

このような観光地化は、メンフィスを死者たちのための都市にしているということも出来る。実際、ジュンとミツコは目的地へと点から点へと移動する中で、荒れ果てた街並みを通り過ぎているのだが、彼らはそうした風景には全く注意を払っている様子はない。歴史的には綿花の集散地として発展してきたメンフィスの経済は、一九八〇年代にはっきりと行き詰っていた。また、長らく犯罪率の最も高いアメリカの都市の一つでもあった（この点は現在でも改善していない）。そうした荒廃した現在時が、エルヴィスというノスタルジックな永遠に輝ける対象と絶望的なコントラストを成しているのである。物語の舞台となるボロボロのホテルの各部屋にはエルヴィスの肖像画が飾られているわけだが、この永遠のロックスターは実際に亡霊として第二部に登場する。エルヴィスの亡霊が、彼を追い求めて横浜からやって来たジュンとミツコのもとには現れず、飛行機の欠航によって偶然にメンフィスに足止めされたイタリア人女性ルイーザのもとに訪れるというのは、観光による体験は当事者の意図とは無関係な偶然性に開かれていることを示唆しており興味深い［5］。また、第三部はメンフィスの住民たちの視点から物語が展開し、観光客の視点を相対化する。この中の人物の一人はエルヴィスというあだ名をつけられているが、まったくささえない暮らしをしている。そして、もちろん本物のロックスター、エルヴィスを心底憎んでいるわけである。

＊

『オンリー・ラヴァーズ・レフト・アライブ』（二〇一三）は、点から点への移動が平常化された世界を描いている。三〇〇〇年以上を生きるヴァンパイアの夫婦のうち、妻のイヴはタンジールに夫のアダムはデトロイトに暮らしている。二人はiPhoneを使ってテレビ電話で連絡を取りあい、ファーストクラスのフライトを使って行き来をする。金に困っておらず、イヴは文学に、アダムは音楽にのめり込んでいるところからも、貴族階級の末裔にも見え、その点、ジャームッシュの多くの登場人物たちとは異なっている。

デトロイトを訪れたイヴに対して、アダムが運転しながら夜の街を案内するシーンがある。工業都市でありポピュラー音楽の都でもあるデトロイトのかつての栄光とその後の荒廃を見て廻るもので、いわゆる「ダークツーリズム」的な実践だとも言い得よう。デトロイトの最盛期一九五〇年代の人口は二〇〇万人に迫り、国内四位の規模となったものだったが、現在では六七万人ほど。これほど過去六〇年間のあいだに縮小したアメリカの大都市は他にない。犯罪率は全米トップ（もしくは年によっては二位）である。二〇〇八年のリーマンショックがビッグ3にとどめの一撃を与えたのは記憶に新しいところだ。闇に閉ざされた人気のない街路を運転しながら、イヴは「ここがあなたの荒野ね」と言い、アダムは「みんな去ってしまった」と呟く。この深夜のドライブで、彼らはまずパッカード社の広大な工場跡地を通り過ぎる。ここはパッカード社が一九五八年に閉鎖して以来、部分的には使用されながらも、長い間放置されてきた場所であり、デトロイトの衰退を長く象徴してきた。二人はまた、一九二五年に建てられたフレンチ・ルネッサンス様式の豪華な劇場、ミシガン・シアターも訪れる。この劇場は一九六七年に閉鎖されているが、映画の中でアダムが述べているように、現在はただの駐車場になっている。豪華な装飾の施された高い天井のもとにまばらに車が止まっている光景は異様であり、かつては多くの人たちがこの劇場に集ったに違いないという想像が、無人空間の空虚さを増幅させる。これまでジャームッシュの映画には多くの廃墟が映されてきたが、このように出演人物が説明を加えることはなかった。このような説明は、デトロイトという都市の衰退そのものを美的な対象として消費する観光のあり方を示唆しているように思われる。工業都市はその生産的な機能をやめた後も、廃墟として死後の生を生き続ける。だが、廃墟こそはかないものなのだとも言えるかもしれない。事実、二〇一七年現在、先に触れたパッカード社の工場跡地には再建計画が立てられている［6］。

『ミステリー・トレイン』においては、観光客であるジュンとミツコは荒廃した土地を素通りし、著名人たちにゆかりの場所を「巡礼」していた。しかし、『オンリー・ラヴァーズ・レフト・アライブ』においては荒廃し、廃墟となった建物そのものが観光の対象となっている。ポスト・リーマンショック時代のデトロイトの荒廃を映画の舞台として利用したジャームッシュの視点は——自身がインタヴューでメンフィスを訪問する日本人観光客について言っていたことでもあるが——、彼が敬愛するロマン派詩人たちの古代ギリシャ文明の廃墟への夢想と重なるところがある。もちろん一つの作品だけで断定することは出来ないが、ジャームッシュがデビュー直後のインタヴューで表明していた「工業都市へのノスタルジックな愛着」が、二一世紀になって広く人々の間で共有されるようになってきているのことを彼は感じ取っているのかもしれない。

＊

最新作『パターソン』には、廃墟は現れない。舞台は、ニュージャージー州の中都市パターソン。アダム・ドライバー演じる主人公はパターソンという街と同じ名を持つ人物で、バス・ドライバーとして働きながら空いた時間に詩を書くことを日課としている。「パターソン」というのは、主人公が尊敬している詩人、ウィリアム・カーロス・ウィリアムズが長年をかけて書き継いでいった長篇詩の書名でもある。ウィリアムズの長篇詩の中でも「パターソン」というのは擬人化されていて、街と人物は二重写しのような存在となっている。

これまでジャームッシュが描いてきたアウトサイダーたちとは異なり、パターソンは生まれた土地に根を張って労働者としての日常を生きている。映画は昼の光のうちにある。朝早くから夕方まで勤務する主人公のバスから見える風景は代わり映えのしないものだが、代わり映えのない日常こそかけがえのないものであるということを見る者に教えてくれる。作品のなかで、もっとも美しい風景を見せてくれるのは「グレート・フォールス」と呼ばれる敷地の中にある滝である。主人公は、昼休みに、今では国立歴史公園として整備されている滝の前のベンチで弁当を食べ、詩を作る。この滝はウィリアムズの詩にも冒頭から現れ、何度も言及されている。

映画を見る限り、ここには全く工業も廃墟もないように見える。だが少し歴史的事実を調べてみると、すぐにそのような印象は表面的なものであることが判明する。この美しい風景を作り出している滝は、繊維業、製糸業など、この町を形成した産業を可能にした動力源だったのである。それどころか、国立歴史公園のウェブサイトの言葉を借りるならば、この滝こそが「アメリカの産業革命誕生の場所」であり、パターソンという街は工業都市として計画的に作られたのだ[7]。工業都市としての歴史をくぐり抜けたパターソンは、いま美しい滝を蘇生させ、保護する街へと変貌したのである。ウィリアムズは極めてアメリカ史に造詣の深い詩人であり、『パターソン』にも史実への言及がさまざまに織り込まれ、現在時と過去が対話を行っている。ジャームッシュの映画『パターソン』でもまた、バスに乗った乗客によって、イタリア国王ウンベルト一世を暗殺したガエタノ・ブレーシというパターソンに住んでいた無政府主義者の話が語られ、小さな街の日常に大きな歴史が重ね合わせられる。とすれば、パターソンの滝に何も重ね合わせられていないと考えるほうがおかしいだろう。主人公パターソンは、滝に街の起源やアメリカの全ての産業の起源を二重視している。そしてそれは工業都市アクロンの原風景を様々な映画において反復してきた、ジャームッシュの起源とも重なるものではないか。詩をあらゆる芸術ジャンルの中で最も優れたものと信じるジャームッシュの信仰がここには響いている。アメリカに荒廃した風景をもたらした工業の起源を辿って行った先にこれほど美しい風景が待ち構えていたというのは奇妙であるだけでなく、どこかユーモアを感じさせるところがある。作品の最後で、ウィリアムズの『パターソン』の日本語訳を手に永瀬正敏演じる詩人が旅人として（『ミステリー・トレイン』を見た者にはまさに幽霊のように）現れ、主人公パターソンと会話を交わすとき、ウィリアムズというアメリカ人によるアメリカの街についての長篇詩の遺産は、まったく異なる国の人のもとへと「誤配」されることになる。これは、奇妙なことではない。ジャームッシュは異他なる者同士のあいだでこそ、本質的なことは強く伝わると信じているのだ。彼のフィルムは本質的に外国語で書かれている。

そのような他者のあいだでの、そして世代を超えたコミュニケーションの可能性こそが希望の原理ということかもしれない。すべての荒廃のあとで現れるこの美しい滝には、ジャームッシュの希望の歌を聴くことが出来るだろう――。そして奇妙なことに、ウィリアムズの次の詩句は、パターソンが昼休みに詩を書きに行った後のバスに残存している亡霊の言葉のように読める。

言え！　概念は事物のうちにのみある、と。
パターソン氏は、休憩して書くために去ってしまった。
バスの中では彼の想念が座ったり、立ったりしている。［8］

記憶の揺曳／揺曳の記憶

——カズオ・イシグロ『わたしを離さないで』における水と揺れ

1　カズオ・イシグロと映像的イメージの強度

カズオ・イシグロは、作品が一気にそこに向けて収斂するかのような強度を持った視覚的なイメージを読者に提示することがある。そのようなイメージが示されるとき、作品の中の人物たちが置かれている状況は一度宙吊りにされ、読者は現在時に注意を向けることになる。そして、読者にとっても登場人物にとっても忘れがたい断片となるのだ。たとえば、臓器提供のために作られたクローン人間の少年・少女たちを描いた『わたしを離さないで』の語り手キャシーが「不思議な出来事」と呼ぶ場面は、そのような重要な瞬間の一つである〔1〕。ヘールシャムと呼ばれる寮の部屋に一人戻ったキャシーが枕を抱き、ジュディ・ブリッジウォーターという架空の歌手の「ネヴァー・レット・ミー・ゴー」という、作品のタイトルともなっている曲に合わせて踊る。一一歳のキャシーはこの曲に「なぜか惹かれ」ており、とくに「ベイビー、ベイビー、ネヴァー・レット・ミー・ゴー」というリフレーンを好んで再生する（一一〇頁）。彼女はこの曲の歌詞における「ベイビー」を「恋人」という意味ではなく、文字通りに「赤ちゃん」という意味に取って、母親が生まれたばかりの自分の赤ん坊に向けて呼びかけた歌であると解釈している。一一歳の子供らしい誤解と言えなくもない。しかしこの誤解は、この場面に重要な象徴的意義を与えることになる。

たぶん、直前に使った人が音量を上げていたのだと思います。いつもよりずっと大きな音で曲が鳴りだしました。人の気配にすぐ気づかなかったのはそのせいでしょう。それに、どうせ一人きりだという油断もあったのかもしれません。いずれにせよ、そのとき、わたしは胸に赤ちゃんを抱いているところを想像しながら、曲に合わせてゆっくりと体を揺らしていました。いえ、単なる想像だけならまだよかったのですが、極《きま》り悪いことに、赤ちゃんに見立てた枕を抱いていました。そして、目を閉じ、リフレーンを一緒に歌いながら、スローダンスを踊っていました。

「オー、ベイビー、ベイビー、わたしを離さないで……」

曲が終わる直前でした。何かを感じ、部屋に誰かいるような気がして、ふと目を開けました。すると、目の前にある戸口の向こうに、マダムが立っていたではありませんか。（一一二―一一三頁）

キャシーは自分が寮の部屋に一人だけでいると思って無防備な自己をさらけ出す。彼女の踊りが示すのは、決して自らはなることのない「母親」への同一化の欲望であり、決して自らは産むことのない「赤ちゃん」への思いである。彼女が想像しているのは、子供が出来ないと言われていた女性が奇跡的に子供を授かり、その幸せを感じながらも、その子供がいなくなるかもしれないという不安にさいなまされているという、やや込み入った状況である。もちろん、この時点で一一歳のキャシーは自分たちがクローンであることを知らされておらず、自分が出産の経験を持たないことをはっきり自覚していたとは考えられない。しかし、はっきりと自覚していなくても、何となくそれに気づいている、ということをイシグロは彼女のこの行動から示唆している。おそらくその象徴的な意義がキャシー自身にも呑み込めないからこそ、この場面が忘れがたいものであるのだ。キャシーは「子供を授かりながらそれを失ってしまうかもしれない母親」という喪失のファンタジーを作り出すことによって、そうでなければ表象することの難しい自らの喪失の表現としているのである。イシグロの作品においては「喪失の経験」は、しばしばこのように作り上げられた「他者」を経由する。したがって、経験されることとフィクション、さらには経験の記憶とフィクションの記憶とはしばしば重なり合うことになるし、登場人物たちの経験や語りはお互いに鏡のように照らし合う。

先ほど引用した部分の末尾で示されているように、キャシーが音楽に合わせて踊る場面の全体は「マダム」と呼ばれる人物によって観察されている。「マダム」はヘールシャムを時々訪れて、生徒たちの創作した絵画のうち出来のいいものを選んで持っていく人物であり、クローンに理想的な環境と教育を与えるヘールシャムのような施設の推進者である。キャシーは自分が踊っているのをマダムに見られてショックを受けるが、マダムが自分を見て泣いているのを見てさらなる驚きに襲われることになる。キャシーはマダムの涙を見たことで、マダムが自分の踊りのうちに何をどこまで読み取ったのかを読み取ろうとする。二年後、キャシーは次のようなトミーの見解を聞くだろう。

「たぶん、マダムは悪い人じゃないんだ。気味は悪いけどね。君がそうやって赤ん坊を抱いて踊ってるのを見て、これは悲劇だと思ったんだよ。赤ちゃんが産めないってことがさ。それで泣い

たんじゃないかな」（一一五頁）

このトミーの意見に従うと、マダムはキャシーの考えていたことをすべて読み取ったということになる。キャシーはこれに対して、自分が赤ちゃんの代わりに枕を抱いていたということがマダムに伝わるわけはないと反論する。この曲が母親と赤ちゃんをめぐるものであるということ自体、彼女が頭の中で作り上げたフィクションなのだから、もしトミーが正しいとすれば、彼が付け加えるように「マダムは人の心が読める」ということになる（一一五頁）。作品はこのマダムの涙をめぐる問いを重要なテーマとして宙に吊り、作品後半においてトミーとキャシーがマダムを訪ねる場面まで、解答を先送りにするだろう［2］。その長い中間部において、我々は他者の喪失を理解し、それに共感することは可能なのかという問いに向かい合い続けることになる。この問いはフィクションがいかにして情動を喚起しうるかという問題にまっすぐにつながっている。

冒頭で「視覚的な」と表現したように、このような場面における表層的な特徴は重要である。具体的には右の場面ではキャシーが「体を揺らして」いることが重要なのだ。以下で、もう少し実例をあげながら見るように、イシグロは、人間の身体の運動が、見る人に忘れがたい印象を残すということを強調している。揺曳するような体の動きが、映像的断片として見た人の記憶に残り、それが過去と現在の境界を越えていくのである。論の後半では、喪失が「水」というイメージと結び付けられていることを見ることになるだろう。イシグロ作品において、「水」は人間の生を呑み込んでしまうような脅威として描かれており、その物質の分かち難さや、「流れ」のイメージとのつながりは、さきほど「揺れること」について指摘したのと同様に越境的な役割を担っている。ここでは特に『遠い山なみの光』と『わたしを離さないで』を中心に、揺れる動作や水のイメージのような断片がいかに人物間や作品間を越えた結びつきを形成しているかを指摘しつつ、喪失の経験と記憶のなかの特権的なイメージの関係について論じていきたい。

2 『遠い山なみの光』における喪失と代償行為

イシグロ文学において、「子の喪失」というモチーフは、『私を離さないで』においてはじめて現れるわけではない。キャシーが思い描く母親のイメージは、デビュー作である『遠い山なみの光』における悦子の状況と重なり合う。同作において我々が直接に描写を見るのは、「幸せ」な新婚生活にあって第一子を妊娠している主人公悦子の過去の姿と、二〇年ほど後になって第一子景子を自殺という形で失ったばかりの彼女の現在の姿だ。「子を失うかもしれない母親」というキャシーのファンタジーは、この悦子の人生を俯瞰するような関係になっている。『遠い山なみの光』の状況について、女性人物たちに焦点を当てて、もう少し詳しく見ていこう。主人公の悦子は、長崎にいた時に近所に住んでいた佐知子という人物と知り合う。佐知子は奔放な性格で、しばしば彼女の娘である万里子は行方不明になり、悦子は佐知子以上にこの子のことを心配している。悦子がはじめて万里子を見るのが、梅雨で増量した河川の岸に出来たぬかるみに立つ泥だらけの彼女の姿であり、悦子は思わず「川へ落ちるわよ」と声をかける（一八頁）。後の場面で、行方不明になった彼女を探す悦子と佐知子は、川の「向こう側」の岸、それも「川っぷちぎりぎりの草の上に」万里子が倒れているのを発見するが、悦子はそれを見て「呪いにかかったような不気味な気持ち」を味わい、「はじめは死んでいるのかと」さえ思う（五四、五五頁）。本作には、悦子が必死になって川の近くで万里子を探す姿が何度も描かれるが、そこには佐知子のように娘に対して無関心であったかもしれない自分を責める二〇年後の彼女の不安が反映されている。つまり、悦子と佐知子は分身的な関係にある［3］。その意味で、悦子の語りは代償行為である。彼女は景子の死に対する自責の念を、過去に他者の子どもを何度も死の危険から救ったという記憶によって慰めているのだ。川に引き寄せられるように描かれる万里子のトラウマ的原風景となっているのは、戦争中の東京で掘割の水に自らの子供を沈めて殺そうとする「若い女」の姿であり、それは後に佐知子が川に子猫を沈めて殺そうとするという反復をみるわけだが、この「子殺し」の風景は娘を煩わしく思う佐知子の願望である一方、悦子の景子に対する自責の念の表れである［4］。このように、キャシーが想像上の「母」に自分を重ね、その女性の喪失を思い描くのと同様に、悦子は景子の喪失を、万里子の救出の記憶の反復によって補っている。両者とも、自己の喪失に向き合うことは出来ないので、それを他者の喪失の経験に置き換えて理解しているのである。

喪失をめぐる記憶の作品間における響きあいを、もう一例あげておきたい。『遠い山なみの光』の語りの現在においてイギリスの田舎町に住む悦子は再婚者との子であるニキと共に散歩に出た際、公園のブランコに乗って遊ぶ女の子を見かける。悦子はそれ以来この女の子を何度も夢に見る――「あくる日の晩も同じ夢を見た。それどころか、この二、三カ月に、わたしは何度もその夢を見たのである」[5]。しかし、二部からなるこの作品の中間地点である第一部の終わりで夢に出てくるのは、ブランコの女の子とは別の「昔会った女の子」であることに気付いたと、悦子はニキに告げる。この「昔会った女の子」というのが万里子であり、景子の分身でもある。このように悦子の夢を媒介として物語の過去と現在が架橋されるわけだが、このことで物語の展開上不必要になってしまった「ブランコの女の子」の存在を、イシグロは別の作品で拾っている。『わたしたちが孤児だったころ』においていて主人公クリストファー・バンクスの母親がブランコに乗る姿は、印象鮮やかなシーンを形作る。

母は家から出てくると、まだ歌を歌いながら、芝生に出てブランコに座る。わたしは庭の奥にある例の小山の上で母を待っていたのだが、母のほうに走っていって怒っている振りをする。「降りてよ、お母さん! 壊れちゃうよ!」わたしはブランコの前で両腕を振り上げながらぴょんぴょん飛び跳ねる。「お母さんは大きすぎるよ! ブランコが壊れちゃうよ!」母は、わたしの姿も目に入らなければ声も聞こえない振りをして、ますます高くブランコをこいでいく。その間ずっと大声で〝デイジー、デイジー、ギヴ・ミー・ユア・アンサー・ドゥ〟などと歌いながら。[6]

この場面は、クリストファーにとってその後失踪する母親の天真爛漫な魅力を伝えるかけがえのない記憶の断片であり、後年、母を想う彼が頭の中で何度も反芻したであろうことは想像に難くない。ブランコに乗っているのは『遠い山なみの光』においては「女の子」であり、この引用文では成人の女性である。しかし、ここでブランコに乗るクリストファーの母はあたかも「女の子」のように描かれており、クリストファーにとって忘れがたいのも母のうちにあるイノセントな少女性、すなわち過去のうちに埋め込まれた過去なのである。小説において母を追跡するクリストファーは、この二重の過去の強度のうちにある一断片を追っていたと言っていい。

歌に合わせて踊るキャシーと歌いながらブランコに乗るクリストファーの母には共通するところがある。「揺れる」動作のうちにある彼女たちは結晶化された永遠の現在を創りだし、時間の経過に抵抗するのだ。「揺れる」運命に逆らうイメージと言ってもいい。この「揺れ動く」イメージは境界を越境し、他の登場人物たちの、そして読者の記憶のうちにその場所を持つのである。反復して思い出されるこれらの女性たちの動作は記憶の揺れそのものとも共鳴しているのかもしれない。思い出されるたびに少しずつ薄れ、にじみ、ぶれ、変形をこうむるこれら揺曳する記憶は、それがなければ救いようがないようにも思われる登場人物たちの人生を一時的にであれ救い、ノスタルジアの眩惑へと読者をいざなうのである。

さきほど万里子のトラウマ的原風景として触れた、自分の赤ん坊を沈めて殺そうとする「若い女」の地点に戻ろう。母の佐知子はこの女が二、三日後に「自殺した噂」を聞くわけだが、長崎に移住したのち万里子はこの「若い女」が「川の向こうに住んで」おり、母がいない時に自分を迎えに来たと言う（一〇三、二一頁）。「あら、それはわたしだったのよ」と万里子の言葉を訂正する悦子は、子を殺した女と自分をまったく無意識に同一化してしまっている。これはイシグロの根源的な悪意が垣間見られる箇所だが、悦子が自らの暴力性を他者のうちに投影しているという現実が垣間見える一瞬でもある。万里子は、手繰り寄せられるように不可避的に川へとふらふらと行ってしまうが、悦子は「こちら側」と「向こう側」、つまり「生」と「死」の境界を成す場所のあたりに彼女をしばしば見出すことになる。フランクという外国人と付き合い、アメリカという太平洋の「向こう側」に将来を思い描く佐知子とは対照的に、娘の万里子は家の前の川の「向こう側」に引き寄せられるのであり、トラウマ的な過去への逃れがたい引力の強さを示している。万里子という存在は、戦後の日本において戦争と死を思い出させる「メメント・モリ」として機能しているのだ。つまり、子供を川に沈めて殺すというのは、戦争中や、戦後間もない時期に困窮の内にあった女性たちの集合的な罪のイメージであると。実際に子殺しをしたかどうかは別として、子殺しをした女性を他人事とは思えない女性たちによって共有される「ありえたかもしれない」過去の記憶を、イシグロは表現しているのである。

万里子個人だけではなく、『遠い山なみの光』作品全体にいきわたる「水」が死と結びついていることは明白である。この作品の舞台となっている場所は「中川」という地名を持っているし、悦子が夫と住むアパートの前にある空き地の「あちこちの穴には一年中水が溜まっている」（一一頁）。作品全体に遍在する「水」はどこかで「死」と連関し、不吉な通底音を響かせている。これらの風景は過去の長崎におけるものであるが、物語の現在の舞台となるイギリスの田舎町でもニキが訪問して来て以来雨が降り続いている。ニキが来て三日目――「ブランコの女の子」を二人が見る日だ――になって小降りになり、五日目の朝になってようやく止むわけだが、このことは悦子の記憶の中の「水」と呼応している（六四、一二五頁）。それにニキの滞在中、とりわけ雨が激しくなった時には、ウォーターズ先生なる人物まで登場して、景子が死んでいることなどつゆ知らず彼女の最近の様子を尋ねるのであり、死を思い出させるまた一人の「メメント・モリ」となっている。

3　『わたしを離さないで』における水のイメージ

『わたしを離さないで』もまた死と結びついた「水」に満たされた小説である。キャシー、ルース、トミーをはじめとするクローンの少年、少女たちは、そもそも臓器を提供するために作られた存在であり、彼らにとって「死」はまったく違う意味合いを持っているのだが、そのことをルーシー先生が明かす場面では強い雨が降っている。彼らは自らの生と死を他者の管理下に置かれている存在であり、自らの人生を生きることも自らの死を選ぶことも許されていない。「水」はしたがって、初めから彼らを浸し、囲繞している。そのことに一番深いところで気づいているのは、作品冒頭からもっとも「鈍い」キャラクターとして描かれているトミーである。小説の末尾近く、それまで彼の「介護人」であったキャシーに、その役割を誰かに代わってもらうように彼は頼み、二人のことを次のように言い表す。

おれはな、よく川の中の二人を考える。どこかにある川で、すごく流れが速いんだ。で、その水の中に二人がいる。互いに相手にしがみついてる。必死でしがみついてるんだけど、結局、流れが強すぎて、かなわない。最後は手を離して、別々に流される。（四三一頁）

このイメージはクローンとして生まれた二人の運命を表象しており、『わたしを離さないで』という作品タイトルとも共鳴している。彼らは初めから川の中にいるのであって、強い流れに流されて「死」に捕らわれてしまうのは時間の問題であるのだが、お互いにしがみつくことによって当面の危機をしのいでいる。このことはクローンたちがしばしばふけるものとして描かれるセックスの性質も明らかにするだろう。この作品に描かれたクローン同士のセックスはまったく性的な悦楽を欠いたものとして描かれており、むしろこの運命から逃れようと生の幻想に「しがみつく」ための営為に見える。「赤ちゃんを持つ」という可能性から完全に切り離された彼らからすれば、性的欲望は人間のコピーであるがゆえに抱く悲哀であるが、それにしがみつくことで自らの欲望に従って生きるという幻想を一時的に得ることができるのだ。

トミーによる川の比喩を反映しているように思われる表現は、第一七章におけるキャシーの語りに認められる。

きっと、強い潮の流れが始まっていたのでしょう。それがわたしたちを押し流そうとしていました。つなぎ合っていた手が、あの出来事でついにもぎ離されたのだと思います。あのときにそれがわかっていたら、と思います。わたしたちは手を強くつなぎ直し、少しは流れに抵抗できていたかもしれません。

（三〇三頁）

キャシー、トミー、ルースの三人の関係にとって決定的だとキャシーが考えている引用中の「あの出来事」というのは、トミーの絵をルースがバカにしたことであり、それに対してキャシーが擁護をしなかったことである。トミーの絵画が機械仕掛けの動物を描いたものであったことは重要である。それはおそらく清潔に、機械的に管理された自分たちの本質を露呈している。彼らは人間のような姿形をしていても人間としては生きておらず、機械的に組み立てられ、動物のように扱われる存在だということである。トミーの直感はそのようなシステム的な搾取の残酷さを見抜いている。

物語の後半で、すでに「提供者」となっているルースとトミーを連れてキャシーが湿地帯に座礁したかのように現れた船のある場所に連れていく場面がある。彼らがこのような巨大な廃物に惹かれるのも、それが「水」の流れに呑み込まれようとしている彼らを救うものと感じられるからだろう。いや、船は彼らの救出にすでに失敗し、それで沼地に座礁しているのかもしれない。実際、それはトミーによって、かつて彼らを保護したものの閉鎖に追い込まれてしまったヘールシャムという施設と重ね合わせられる。ヘールシャムとは、言うなれば、「水」という運命から彼らを一時的に救う船のようなものだったのだ。そのトミーの重ね合わせに応じて、ルースはヘールシャムの「十四番教室」の窓から外を見ている夢を見たと言う——「外は一面水浸しで、大きな湖みたいになってた」(三四二頁)。このことは、彼らをかつては救っていたヘールシャムという場所もまた「水」の浸食を許してしまっていることを示している。しかし我々の議論にとってより重要なのは、船の場面がトミー、キャシー、ルースの三者がみな自分たちを囲繞し、死へと導くものとして「水」というイメージを共有していることを明らかにする点である。トミーは死ぬ間際になって、キャシーと自分が「ずっと昔から——愛し合ってた」ことを事実の確認のように口にするが、その時に彼の脳裏に浮かんでいるのも、川の激流の中で「互いに相手にしがみついている」イメージである(四三一—四三二頁)。彼らは自分たちの運命を「水」というイメージを通じて理解しているのであり、そのことが彼らの間の共感の土台となっている。

マダムの家を訪ねた帰り道、トミーがついにこらえきれずキャシーの運転する車から外に出て、走り叫ぶエモーショナルな場面には、表面的には水は描かれていない。しかし、足もとにはぬかるみが広がっており、暗闇の中で「喚き、拳を振り回す」トミーに駆け寄り、しがみつくキャシーの姿は濁流に呑まれようとする二人がもがくかのように描かれている。月明りに照らされたトミーの顔は「泥だらけで、怒りに歪んで」おり、「抱き合っている二人を傍《はた》から見たら、闇の中に吹き飛ばされそうで、それを防ぐためにしがみつき合っているように見えたかもしれません」とキャシーは語る(四一九頁)。キャシーとトミーの関係は恋愛感情よりは、強い共感感情から成り立っているのであり、ヘールシャムでいじめられるトミーをかばった子供時代から彼女はトミーが癇癪を起こすたびにそれが単に仲間に向けられたものではなく、クローンという不条理な存在そのものへの怒りに深く根差していることを理解していたのである。そのように本当は初めから全て気づいていたのではないかと指摘するキャシーに対して、トミーは一度否定しながらも、「もしかしたら、そうかも。そうか、心のどこかで、おれはもう知ってたんだ。君らの誰も知らなかったことをな」と言う（四二一頁）。

このことが、彼らの最後の別れの場面における謎めいた断片の意味を照らし出す。キャシーを車まで送ったトミーは、ヘールシャムでサッカーをやっていた時の「秘密」に言及する。その「秘密」というのが、サッカーで点数を入れて仲間のところに駆け戻るときに、考えていたイメージのことである——「水を蹴散らして走る所だ。深い水じゃない。せいぜい足首まで。いつもそれを思ってた。パシャッ、パシャッ、パシャッ」（四三六頁）。この動作のうちにある身体の想像は、小説の中で「水」というイメージが持っていた意義と関連付けることではじめて理解できる。つまり、彼は「死」という常に彼らの生に付きまとって離れないものを「蹴散らして」いたのだ。彼がキャシーとの別れの際にこのことに言及するのは、この記憶の一断片が、子供の時から彼がクローンという存在の不条理な運命について無意識のうちに怒りを覚えていたということの証明になっているからである。小説の最初の場面は、トミーがお気に入りの洋服を泥だらけにしてしまうことを心配するヘールシャムの子どもたちを描写していた。服を汚すというトミーの欲望は、清潔な環境のうちに自分たちの身体を管理しようとする権力に対して、ささやかな反抗を試みることであったのだ。

泥によって自らを汚すということは、『遠い山なみの光』の万里子もしていた。それは彼女が「水」へと死へと手繰り寄せられる過程で身体にまとわりついたものであり、彼女の存在は戦争という集合的な死の記憶を喚起する役割を果たしていた。『わたしを離さないで』のクローンたちは、その役割上、死を欲望することを許されていない。彼らはどう生きるかを決められているだけではなく、どう死ぬかも決められているので、だから作品中において彼らは「死ぬ」のではなく、臓器の提供によって務めを「完了する」と表現される〔7〕。トミーは、自傷したり自殺したりという不可能な行為のささやかな代償として、「水を蹴散らして走る」のである。

他方で、キャシーには『遠い山なみの光』の悦子と重なり合うところがあるかもしれない。「水」に引き寄せられたり、「水」の中でもがいたりする人物に共感し、それを救おうとする役割を担っているからだ。架空の曲である「ネヴァー・レット・ミー・ゴー」の歌手がジュディ・ブリッジウォーターという名前を持っていることは偶然ではない。キャシーは、起きた出来事を語ることによって「水」の上に橋を架けるような存在なのだ。最後には「提供者」になる彼女は、「介護人」として仲間たちが臓器を提供し次第に弱っていくなか最善の環境を保つために努力するのであり、それは臓器提供のためにクローンを作り出す社会のシステムを支えこそすれ、脅かすものでは全くない。だが、たとえ抵抗が不可能な状況にあっても、記憶しそれを語るという行為そのものが倫理的な意義を持っているということをイシグロはキャシーと共に伝えているのである。

本稿の前半部でキャシーは、フィクショナルな喪失のファンタジーを作り出すことによって、そうでなければ表象することの難しい自らの喪失の表現としていると書いた。つまり、彼女が「ネヴァー・レット・ミー・ゴー」という曲に合わせて体を揺らしていたとき、彼女もまたトミーと同様、（わが子の）喪失を体験する機会すら奪われているということを「心のどこかでもう知っていた」と考えることが出来る。常にすでに失われた身体へのメランコリックな関係が彼女の踊りには表出されているのであり、それを読む我々が動かされるとき、我々もまた社会や技術のもたらす根源的な喪失に「心のどこか」で気づいているのかもしれない［8］。

「稲妻（の速さ）で歴史を書く」

――『國民の創生』と『ブラック・クランズマン』における引用、真実、歴史

1　スパイク・リーと『國民の創生』

クー・クラックス・クラン（以下KKK）およびそれを英雄的に描いたD・W・グリフィス監督の『國民の創生』は、スパイク・リー作品が格闘する敵であり続けている。リーがニューヨーク大学在学時に制作した短篇映画 *The Answer* は、白装束をまとったクランズマンが『國民の創生』のリメイクを黒人の映画監督に依頼するという内容だった。が、この「映画の父」への反抗は教授たちの不興を買い、リーは危うく退学させられそうになる。ファレル・ウィリアムスとの対談のなかで、*The Answer* は『國民の創生』を「褒めたたえるニューヨーク大学教員に対する「ファックユー」だった」とリーは語っている[1]。別の場所ではこうも主張している——「グリフィスのもたらした偉大な映画的技術について教えるのはかまわない」が、「この映画がクー・クラックス・クランの会員を集めるための道具として使われ、何百の黒人たちがリンチされたり去勢されたりしたことに直接の責任を負っているということを忘れないようにしよう」[2]。リーの言うように、『國民の創生』は南北戦争直後の南部におけるKKKを描いているだけではなく、新たなKKK会員を勧誘するためのプロパガンダとして使われ、一九二〇年代におけるKKKの猛威を用意した。映画は表象＝再現の装置であるだけではなく、実際の社会や政治を形成する重要なファクターである。「映画の父」が白人至上主義の強力なイデオロギー装置として機能してきた以上、黒人映画監督リーにとっての重要な課題の一つは「ファックユー」という「答え《アンサー》」を出し続けることにあったのだ［3］。

黒人警察官ロン・ストールワースのＫＫＫへの潜入捜査を描いた自伝をもとにした新作『ブラック・クランズマン』において、リーは自らの映画的課題に立ち返り、『國民の創生』を引用的に用いている。作品後半の山場でＫＫＫの最高幹部デヴィッド・デュークがコロラド・スプリングスを訪問するが、それにあわせて『國民の創生』が上映され、映画内でのＫＫＫの活躍に狂喜するクランズマンたちの様子が映される。特に白人女性コニーは興奮を抑えきれない様子で、大声で感想を言ったり、字幕の文字を読み上げたりしている。また（ストールワースによる原作にはない要素だが）これと同時に行われている黒人たちの集会においても『國民の創生』が言及される［4］。この黒人たちの集会でハリー・ベラフォンテ演じる老人が語るのは、一九一六年にテキサス州ウェイコで起きたリンチ事件である。知的障害を持つ一七歳の黒人少年が白人女性をレイプした容疑で逮捕され、わずか四分間の裁判で死刑判決を受けた。そして、死刑執行を待ちきれない群衆によってリンチされ、虐殺された。この話を紹介した後、老人は「事件が起きた理由の一つ」として『國民の創生』がその前年に公開され大ヒットとなったことを挙げる。「強い影響力のある映画で／クー・クラックス・クランを再生させた」。この老人の言葉は、すでに引いたリーの言葉と重なる。老人はさらに当時の大統領ウッドロウ・ウィルソンが『國民の創生』をホワイトハウスで鑑賞し、次のように言ったと語る。「これは稲妻で書かれた歴史だ」［5］。

本章は『國民の創生』についてウィルソンが言ったと伝えられるこの言葉を基点とし、過去を語り引用することの政治性について考察したい。『ブラック・クランズマン』は重層的に過去を参照した映画である。一九七二年における一九一五年の無声映画の鑑賞が描かれ、その映画は南北戦争と再建期、つまり一八六〇―七〇年代の南部を描いている。それだけでなく、映画の末尾に報道映像が引用される形で、シャーロッツヴィルにおける白人至上主義者たちの姿やトランプ大統領の姿が映されるとき、「過去」は「現在」に関係づけられるだろう。過去を語るのは広義の引用行為であり、そこには不可避的に抽象化や歪曲が生じうる。そして、引用とは言表者を過去へと結びつける時間的な行為であり、引用されるものと引用するものは常に倫理的な関係のうちに置かれる。もともと『クランズマン』と題されていた『國民の創生』に対し、リーは『ブラック・クランズマン』と題した映画によってどのように対峙しているだろうか。この問いは、「アメリカ映画」と「アメリカ合衆国」はどのように相互に影響を与えてきたのか、というより大きな枠組みの問いに不可避的に結びつくだろう。本稿の終わりで、我々はある著名な人物がその光源のもとに立っているのを見出すことになる。

2　グリフィスのウィルソンへの欲望と「歴史の真実」

一九一五年二月一八日、D・W・グリフィス監督による『國民の創生』が史上初めてホワイトハウスで上映された映画となったとき、映画は国家の歴史を再演＝表象する公共的な装置となった［6］。この日ホワイトハウスのイースト・ルームの白い木製パネルに映画を映した映写技師は、恭しくもイヴィニングドレスを着ていたという。ホワイトハウスで「新しい芸術の誕生」に立ち会うことを提案し、大統領ウッドロウ・ウィルソンと共に鑑賞したのは、この映画の原作者であるトマス・ディクソン・ジュニア。ウィルソンとディクソンはジョンズ・ホプキンス大学で政治学を学んだ同窓の友人であった。だが、二人を結び付けるより重要な事実は、彼らが根っからの南部人であったということだ。ウィルソンは一八五六年ヴァージニア州に、ディクソンは一八六四年ノースキャロライナ州に生まれ、それぞれいわゆる南北戦争以後の「再建期」に南部で育っている。『國民の創生』は、やはり南部のケンタッキー州に一八七五年に生まれ、保守的・南部的な価値観を持つグリフィスによって撮られた。作品を見終わったウィルソンは、次のように言ったと伝えられる。「稲妻によって歴史を書いたようだ。私が唯一残念に思うのは、これがものすごく真実だ〔terribly true〕ということだ」〔7〕。

真実?――『國民の創生』の技術史上の重要性を強調するさまざまな映画史家がその称賛に幾分の留保をつけなければならなかったとすれば、それはむしろこの映画が歴史的には「真実」からほど遠い描写を多く含んでいたからではないだろうか。しかし、なるほど作品を見てみると「これは「再建期」を歴史的に再現したものである」などといった注釈が差し込まれたり、「歴史を忠実に再現した場面」と字幕で断ってから場面が現れたりするように、グリフィスはこの映画がいかに現実を忠実に再現しているかを強調している。そもそも、ウィルソンのものとされる発言は、仮にそれが本当に彼の口から言われたものだとしても、作品中のどの部分を指して「ものすごく真実だ」と言っているのか、なぜ彼がそれを「唯一残念に思う」のか、といった謎は残る。さらには、この発言が作品を肯定するものと取れるのかどうかも曖昧である。それでもウィルソン大統領が『國民の創生』について、歴史的に真実であるという発言をしたと伝えられていることが重要なのである。

だが、この「大統領のお墨付き」発言の真偽は不明である。マーク・E・ベンボウは、ウィルソンが右のような言葉を口にしたという確かな証拠はないということを明らかにした［8］。「稲妻によって書かれた歴史」という言葉は公開から一〇カ月もたった一九一五年一二月一二日付のアトランタの地方紙の映画広告という思いがけぬ場所にはじめて現れる。一九一六年一〇月号の『フォトプレイ・マガジン』にはグリフィスのインタヴューが掲載されているが、そこで彼は映画が「歴史の真実」を伝えるすぐれたメディアであることを主張し、「映画は稲妻のような速さで歴史を教える」という、上映に立ち会った「ある卓越した御仁」の言葉を引用する［9］。ここで「稲妻のような速さ」と訳したのは、英語原文に「速さ」にあたる単語があるからではない。前後の文脈からグリフィスが「速さ」を伝えるための比喩として「稲妻」という言葉を使っていることが分かるからである。しかし、このニュアンスは引用が繰り返される中で失われてしまったのだ。グリフィスは数カ月の勉強を要するような「歴史の真実」も映画なら短時間で学べると主張しており、この「短い時間」について「稲妻のような速さ」という「ある卓越した御仁」が口にした（と彼の主張する）比喩を借りて表現しているのである。そして、それはまさにグリフィスがウィルソンのような影響力のある南部出身者によって口にしてほしい言葉だった。

また、同じくマーク・E・ベンボウによるならば、「私が唯一残念に思うのは、これがものすごく真実だ〔terribly true〕」ということだ」という後半の文が最初に活字として現れるのはかなり遅く、ウィルソンの死後である一九三七年の雑誌『スクリブナーズ』のミルトン・マッケイによる記事においてである〔10〕。一九三九年にはルイス・ジェイコブスの古典的書物『アメリカ映画の興隆』に出典の記載なく引用され、以後、様々な書物や記事（そこにはリリアン・ギッシュによる回想記も含まれる）は、マッケイかジェイコブスを典拠として引用を繰り返すことになる。

ウィルソンが本当にそのような発言をしたのか、はたまたグリフィスがでっちあげたのか、といった詮索に結論は出ない。確かなことは、映画を通じて歴史を伝えるという目的をグリフィスが持っていたということだ。後の人間が彼の映画技法における革新性をどれほど強調しようとも、グリフィス自身にとって大切なのは彼の作品が「歴史の真実」を再現＝表象できるということであった。彼にとって、『國民の創生』が短時間で学べるアメリカの歴史であるとすれば、その翌年に作られた大作『イントレランス』は短時間で学べる人類の歴史ということになる。実際、多くの教師が歴史の授業時間に『國民の創生』を生徒に見せたのであり、新聞もそれを推奨した〔11〕。学校の生徒だけではない。『國民の創生』の受容史を紐解くと、当時の観客たちが実にナイーブに映画の中の出来事を「真実」として受け取っていたことが分かる。つまり、『國民の創生』の上映は国民教育の機会であったのだ。映画は南北戦争を舞台とした第一部、戦後の「再建期」の南部を舞台とした第二部により成っているが、特に第二部には多くの歴史的誤謬が存在している。たとえば、南部において選挙権を得た黒人たちが多数の黒人議員を州議会に送り、州の政治を混乱に陥れるさまが描かれているが、作品の舞台となっているサウスキャロライナ州においてそのような事実はおよそ存在しない[12]。しかし、『國民の創生』の映像とテクストの与える印象は深く、北部でも南部でも観客たちはKKKの登場に拍手喝采したのである。つまり観客の大半は、KKKを黒人によって腐敗した南部を救う英雄たちと見なしたのだ。あるいは、観客たちは馬に乗って颯爽と姿を現す白装束の一団を英雄的とみなすような映画への身体的反応をすでに得ていたのかもしれない[13]。『國民の創生』の歴史的誤謬を指摘し、差別的な内容について一貫して否定的意見を表明し、上映に反対し続けたのは全米黒人地位向上協会(NAACP)であり、一般大衆のほとんどは歴史的な知識の欠如やもともと持っていた白人優位の人種観からこの映画の内容に共感し、そこからアメリカ国民の「起源」にかかわる歴史を「学んだ」のである。史上空前のヒットとなった『國民の創生』の教育効果は絶大であり、ノスタルジックに回顧される「古きよき南部」は最も愛されるアメリカ人の集合的な欲望の対象として、アメリカ映画のうちに確固たる地位を占めるにいたる。これがのちの『風と共に去りぬ』――『ブラック・クランズマン』が冒頭に引用する映画だ――という南部神話の集大成の登場を用意するのである。このように、グリフィスは映画の興行的な成功のうちに南部の「失われた大義」というイデオロギーを国家全体に密輸したのだ。

グリフィスのウィルソンへの欲望はすでに『國民の創生』の作品のうちに明らかである。ウィルソンが一九〇二年に出版した五巻よりなる『アメリカ人の歴史』のうち「再建期」を扱った最終巻からの引用が多数あるからだ。しかも引用された文は改変されており、もともと白人至上主義的な原文はさらに白人至上主義的なものに歪曲されているのである[14]。しかし、ウィルソンの文章に「偉大なるクー・クラックス・クラン」という言葉が存在するのは確かであり、このことはとりわけグリフィスを喜ばせたに違いない。同時に、南北戦争についての歴史映画に自著が頻繁に引用されることは、ウィルソンの自尊心をくすぐったに違いない。ウィルソンは南北戦争終結以後はじめての南部出身の大統領だが、政治の世界に進出する前はジョンズ・ホプキンス大学で法学の博士号を取り、プリンストン大学の学長を務めた学究で、歴史学も教えていた。グリフィスを含む南部白人にとって、ウィルソンは南部の誉れであり、自分たちの価値観を正当化し代弁してくれる存在だったのだ。ウィルソンの「偉大なるクー・クラックス・クラン」という言葉は『國民の創生』を権威付け、『國民の創生』の爆発的なヒットはウィルソンの言葉を大衆に流布したのである。

3 ディクソンと燃える十字架

『國民の創生』のイデオロギー性について考えるうえで、時間を少し遡って、原作『クランズマン』の作者ディクソンの役割を考察することは不可欠である。彼は「原作者」という言葉からふつう想起されるような控えめな役割を演じていたわけではない。ノースキャロライナ州に生まれ育ち、すでに触れたようにウィルソンと同窓であったディクソンは、大学を中退したあと州議員を務め、その後牧師になって名声を得る。しかし一九〇一年、奴隷解放運動に影響を与えたハリエット・ビーチャー・ストウの『アンクル・トムの小屋』を翻案した舞台を見て猛烈な怒りを覚え、南部の「真実」を伝えるために作家になることを決意したのだった。それは『國民の創生』に覚えた怒りがリーの創作の原点となったことと皮肉にも奇妙な類似を見せる。ディクソンにとって幼児期の最初の記憶は、白人の女性をレイプしたと訴えられた黒人が絞首刑にあっている場面だったという——彼の父と叔父は町の名士であり、「秩序」と「モラル」を重んじる誇り高い「再建期」のクランズマンだったのだ[15]。ディクソンの記憶はトラウマ的な「真実」がいかに類型的イメージを免れえないかを物語っているが、それは彼のストウ夫人への怒りに遠くこだましているように思われる。ディクソンは猛然と書き始め、一九〇二年にデビュー作『ヒョウの斑点』の出版にこぎつけ、それは一〇万部を超えるベストセラーとなる[16]。この作品を含むディクソンの「クー・クラックス・クラン三部作」は、奴隷制度廃止に大きな貢献をした『アンクル・トムの小屋』という「正典」に対する否定的な言及に満ちている。さらに、ディクソンの「啓蒙」への欲望は映画という新しいメディアの発見へと結びつく。映画会社に自作の映画化を持ち込んだのは彼自身であった。映画という新興メディアがきわめて強力なイデオロギー装置であることをディクソンは見抜いていたのだ[17]。最初『クランズマン』という題で公開されていた作品を『國民の創生』と名付け直すことを提案したのも彼だった。ホワイトハウスで上映した時にウィルソンには告げなかったが、「北部人の感情に革命を起こすこと」が「私の映画に隠れた真の大きな目的」だったと、のちに彼は語っている[18]。

ある意味では、ディクソンのストウ夫人に対する最大の復讐は、グリフィスによる映画化を経て、一九一〇年代終わりから一九二〇年代にかけてＫＫＫの会員数が急激に増加したことによって成し遂げられたと言えるかもしれない。『國民の創生』が公開されたのと同じ一九一五年、アトランタのウィリアム・ジョセフ・シモンズによってＫＫＫが復活すると、一九二〇年には四〇〇万人、一九二四年には五〇〇〇万人と急激に会員数を増やし、巨大な白人至上主義組織へと発展する。これは一八六五年から短期間活動して消滅した第一期のＫＫＫをはるかに凌駕する規模である。もちろん、ディクソンやグリフィスがＫＫＫの急成長にどれほどの影響があったのかは委細な検討を要するが、第二期のＫＫＫは白装束や白頭巾などのファッションの面で明らかに映画の――ひいてはディクソンの小説に添えられた挿画の――影響を受けていた[19]。特筆すべきは、十字架を燃やすという象徴的儀式である。「再建期」のクランズマンはこのような儀式を行っておらず、これはシモンズが一九一五年のサンクスギビングの日に始めたものなのだ。十字架を燃やすという行為は、スコットランド人たちが戦争の開始時に仲間を集める合図として用いたもので、ウォルター・スコットの一八一〇年の長篇詩『湖上の美

"'The Fiery Cross of old Scotland's hills!'"

クランズマンたちの儀式（出典：Thomas Dixon Jr. *The Clansman: A Historical Romance of the Ku Klux Klan*, 1905, Electronic Edition, *Documenting the American South*, 1997, p.326.）

人』に登場する〔20〕。ディクソンは小説『クランズマン』においてスコットランド起源の古い儀式であることを明記したうえで、スコットランド系移民が多く住むアパラチア山脈の地域を重要な拠点とするクランズマンたちに小説中でこの儀式をさせているのだ。『國民の創生』においては、ガスという黒人に対するクランズマンたちの一方的な「裁判」とその刑罰執行のあいだ、クランズマンの一人が燃えさかる十字架を持って立っている。シモンズが十字架を燃やすという行為を実際の儀式として小説や映画から引用した時、彼は永久的にKKKと結びつくことになる象徴的イメージの新たな伝統を築いたのである。ディクソンがウォルター・スコットの詩から輸入した象徴的な火は、現実世界において黒人を苛む炎となって――『ブラック・クランズマン』のラスト近くに置かれた場面でロンとパトリスが窓の外に見るように――いまなお燃えているのだ。

4 『ブラック・クランズマン』におけるクロス・カッティング

罪深い「映画の父」グリフィスの創出した映画技法は、あらゆる映画で使われている。冒頭で述べたように、『ブラック・クランズマン』では、KKKの集会において『國民の創生』が上映されクランズマンたちが熱狂している様子が、黒人たちの集会で一九一六年のリンチ事件が語られる場面と重ね合わせられている。人種によって分断された二つの集団は「過去」を語る行為を通じてそれぞれの結束を強めているのだ。集合的な情動を喚起する過去の引用の同時的な生起。その光源にあるのは『國民の創生』という一つのフィルムだが、これら二つの集団はそれを互いに正反対から見ている。ただ、同時的に起きている二つの場面を交互に見せるクロス・カッティングという映画技法にはグリフィスの署名が刻まれているのであり、おそらくリーは自覚的にその技法を引用している。引用はこのとき、革命的な意義を帯びる。

もちろん、KKKと黒人たちのどちらがまともな歴史観を持っているかは自明であろう。リーの映画はしばしば教育的であり、私たちはリーから学ぶ。だが、「ブラックパワー！」と叫ぶ集団と「アメリカファースト！」と叫ぶ集団が続いて映されるとき、リーは明らかに両者の類似性を示唆している。私たちはここで「政治的な正しさ」に但し書きがつくのを感じるだろう。「歴史の真実」がある集団の情動に働きかけその集団のアイデンティティを強化するとすれば、そのメッセージはどうしても純化され、単純化されざるを得ない。そのような単純化はしばしば甘美なものであり、白人女性の登場人物コニーの言うように人生に「目的」を与えてくれる。このことの危うさは、「白人至上主義団体に潜入捜査する黒人警官」という難しい立ち位置におかれた主人公によって逆照射される。彼は電話を通じて黒人に差別的な感情を持つ白人のフリをして潜入したところ、うまくいきすぎて地元の支部長になるよう推挙されてしまう。逆にブラックパンサー党の集会で知り合ったパトリスに潜入捜査官であることを告げると罵られる。仲間意識の強さと排外主義の強さは比例してしまうのだ。

KKKの集会と黒人の集会の対比のシークエンスは、このような類似性を際立たせるだろう。しかし同時にこの場面において、リーは音声の使い方を通じてズレの効果を演出してもいる。KKKが

『國民の創生』を鑑賞している様子が映される場面の一部において、リーは黒人の老人がリンチについて語る声をかぶせている。お互いに空間的に分離されているはずのところに、「声」が境界を越えて侵入し、そのことによって見ている画面と聞いている音の齟齬が生じる。リーはこのようにしてグリフィス的な映画の文法にのっとりながら、それを革命的に応用し、イデオロギーの純粋性を——声の単数性を——破壊する。このことはロン・ストールワースの原作のタイトル *Black Klansman* では二つの単語の二項対立が存在するのに対し、映画タイトルの *BlacKkKlansman* では両者の領域が連続しており、正しくデリダ的な意味での差延が成立しているのと並行する現象である。

5 シャーロッツヴィル事件とロバート・E・リー

リーは映画の最後に、一九七〇年代の過去の物語全体を二〇一七年八月一二日のシャーロッツヴィル事件をめぐる報道映像の引用へとつなぐ。白人至上主義たちがたいまつを持って歩く姿、それに対抗して行進する人々、両者の小競り合い、「中にはとても良い人々もいた」と発言するトランプの姿、老デヴィッド・デュークがコメントをする姿、そして反対派に車が突っ込み死傷者を出した事件のライブ映像……。

そもそも白人至上主義たちのデモは、シャーロッツヴィルの公園に建てられたロバート・E・リーの銅像を撤去するという計画に反対して起きたものだ。トランプが「彼らにとっては非常に、非常に大事」だったと擁護するこの銅像は、「南部連合退役軍人の息子たち」（ＳＣＶ）という団体によって一九一七年に計画され、一九二四年に、つまりＫＫＫの活動のピークであり彼らが南部諸州の政治を牛耳っていた時に除幕された。この銅像はシャーロッツヴィル市において新たに形成されつつあった黒人の居住地区の近くに建てられたのであり、公共空間は白人のものであるという明確なメッセージとして、そして白人居住区域との境界を作り分離政策を推進するための都市計画の一部として機能したのだ[21]。リー将軍像は南部の「失われた大義」を主張する象徴であるだけでなく、実際の人種差別に加担してきたのである[22]。

「古きよき南部」の想像の中心に位置し続けてきたリー将軍は、歴史・政治学者であったウィルソンによって英雄視された。一九〇九年、当時プリンストン大学の学長であったウィルソンは、ノースキャロライナ大学で行った講演で、いかに南部と自分が感情的に深く結ばれているかということを強調し、南北戦争がその後の国家の結束のために必要なプロセスだったと説いた。そして、子供の時に「リー将軍の傍らに立ち、彼の顔を見上げた喜ばしい記憶」を思い起こすのだ[23]。このかすかな一瞬の、しかし限りなく甘美な記憶は、彼のリー将軍への熱心な賛辞へと結びつく。ワシントン将軍に比肩する国家的英雄としてリー将軍の「高貴さ」を讃えた後、ウィルソンは、リー将軍には利己心によって燃える炎ではなく、大義に身を捧げる道義心の火が燃えていたのだと言う。そして、すべての人間は自分が灯したのではない、人類全体を照らし出す炎をかかげ持つ道義的責任がある、とも述べる。彼はこのように、過去と現在を神話的に結び付け、リー将軍の「火」を継承することの重要性を説くのだ。全体に「火」のイメジャリーを散りばめた講演を締めくくるにあたって、ウィルソンはリー将軍を南北アメリカの宥和のシンボルの地位にまで押し上げる——「さて、紳士諸君、リー将軍を国民的英雄として受け入れることの意味は何だろうか。端的にそれは、この国にはもはや分裂はないのだということ、我々は国民の生命の偉大なる歩みが輝かしい名声の高みに押し上げたすべての偉大な英雄たちを誇りに思う一つの国民である、という喜ばしい事実を端的に示しているのである」[24]。『國民の創生』という日本語では隠れてしまっているが、*The Birth of a Nation* というタイトルの "Nation" の前にある不定冠詞 "a" の含意は、「南北に分断されていない」ということである。二〇世紀初頭の帝国主義時代とも呼応するこの国家主義的大義のもとには、南部の名誉を回復するという別の大義が隠されている。ウィルソンはこの時点で、四年後に自分が大統領になるとは思っていなかっただろう。

ホワイトハウスで見た『國民の創生』の中で燃えている火に、ウィルソンはリー将軍から受け継がれた神話的な火を認めたのかもしれない。彼にとって「ものすごく真実である」とは、そのようなことであったのか?——ウィルソンは国際平和を掲げた国際連盟創設への尽力が認められ、一九一九年にノーベル平和賞を受賞しているが、それは本稿でたどった歴史の細部よりもはるかに有名な歴史的事実である。

「デュマは黒人だ」

――『ジャンゴ　繋がれざる者』における奴隷制度とその外部

1　タランティーノ近作における「物語」への意志

『イングロリアス・バスターズ』（二〇〇九年）、『ジャンゴ　繋がれざる者』（二〇一二年）、『ヘイトフル・エイト』（二〇一五年）という近年のタランティーノ作品――彼自身が使う作品番号に従えば、それぞれ第六作、第七作、第八作、ということになる――には、従前には見られなかった「重さ」がある。初期タランティーノを特徴づけてきたポップな「軽さ」、つまり、バカバカしい会話、あっけない物語の帰結、カラフルな音楽、過去の様々な映画の参照、きびきびとしたカット割りといった要素は消えたわけではない。しかし、映画の序盤からゆっくりと人物が紹介され、中盤で丁寧に物語が積み上げられ、ゆがみが蓄積されていき、それが終盤の破綻を導き、あとはコップの水が溢れだすように一気に暴力の応酬に至るという序破急の様式への意志は右三作に共通する新たな特徴である。タランティーノ作品は尺が長いことが多く、『パルプ・フィクション』と『ジャッキー・ブラウン』はともに一五四分、近作の『イングロリアス・バスターズ』、『ジャンゴ』、『ヘイトフル・エイト』はそれぞれ一五三分、一六五分、一六七分だが、長さの理由は同じではない。前二者ではプロットの展開上不要な要素が多く盛り込まれているゆえに長くなっているのに対し、後三者ではプロットの組み立ての必然でこの長さになっている。もちろん、これは作品の優劣とは別の話だ。雑談と銃弾の隣接こそは初期タランティーノの魅力である。しかし、近作にマドンナやチーズバーガーをめぐる「どうでもいいけれど笑っちゃう話」のためのスペースはない。登場人物のセリフ、動作、表情のほとんどは「意味」を帯びており、一度見ただけではそれらを十分に理解することは出来ない。それどころか、見る者に「勉強してから出直す」ことを促しさえするだろう。そのような緊密な構成を通じて、タランティーノは近作において確実に「物語」を語ろうとしている。

本稿で考察の対象とする『ジャンゴ』において、南北戦争以前のアメリカ南部における大きな「物語」であった奴隷制度とその対抗言説としての「ドイツ的なもの」という「物語」の相克は明白である。しかしながら、そのように語られた内容の吟味は、マカロニ・ウェスタンの模倣や引用、初期タランティーノから引き継がれたスタイルをめぐる議論によってしばしば阻まれてきた。本作に限らず、タランティーノほど語られている内容が真剣に考察されることの少ない映画作家も稀かもしれない。たしかに映画における断片性と引用性を強調するタランティーノは非物語的表層こそ重要であることを証明し続けてきた。だが、近作における「物語」への意志は、作品全体に緊密な「意味の連関」を張り巡らせている。従って本稿はあえて鈍重さを志向し、『ジャンゴ』において起きる出来事には主題的な意味があるという表層と深層の差異を前提した態度で考察を行う〔1〕。それは結果として、マドンナとチーズバーガーで成立していたはずの世界にワルツの優雅さをもたらした、オーストラリア出身の俳優クリストフ・ヴァルツの礼賛ともなるだろう。

『ジャンゴ』は南北戦争の始まる二年前、一八五八年の南部を舞台としており、物語はジャンゴ（ジェイミー・フォックス）が賞金稼ぎをしているドイツ人のドクター・キング・シュルツ（クリストフ・ヴァルツ）と共に、彼と妻を虐待したかつての奴隷主ブリトル三兄弟を射殺する復讐劇のパートと、ジャンゴの妻ブルームヒルダ（ケリー・ワシントン）を現在の奴隷主でありミシシッピー州の大農場主であるカルヴィン・キャンディ（レオナルド・ディカプリオ）から奪回する救出劇のパートから成っている。当初ブルームヒルダの奪回は奴隷売買という金銭的な解決によって為されるはずだったのが、シュルツによる発砲を契機として血みどろの大惨劇が繰り広げられ、紆余曲折を経た後、最終的にジャンゴはブルームヒルダを救い出し、カルヴィン屋敷を後にすることになる。

シュルツによるカルヴィン銃殺は物語の分水嶺を成している。直後に発せられる「すまん、我慢できなかった」というシュルツの言葉にも拘わらず、これは単純に衝動的なものではありえない。握手を求めて手を差し出すカルヴィンへと数歩を歩み、素早くデリンジャーを抜いて撃つまでのシュルツの動作は無駄がなく、抑制されている[2]。しかし、それがジャンゴとの事前の了解のない「暴発」であることも、また事実である。つまり、ここでは倫理的な判断と突飛な行動が同時に成立している。では、シュルツがカルヴィンを撃った時、彼は何を撃ったと言えるのか。本稿では考察をいくつかの場面に限定し、奴隷制度と（シュルツによって導入される）その「外部」の対立が、空間配置、視線、言語などの要素によってどのように対照的に演出されているかということを中心に考察を進めていきたい。

2　奴隷制度の内と外

親から継いだ大農園と多くの奴隷を所有するカルヴィンは、その制度の外の世界を考えることが出来ない。だがその制度は静的に存在しているわけではなく、権力者カルヴィンの日常における絶えざる演技（振る舞い）によって維持・強化されているのである。シュルツとジャンゴが多くの奴隷と共にカルヴィンの屋敷へと移動している時に遭遇する場面を見てみたい。ここでは、黒人同士を格闘させる「マンディンゴ・ファイティング」のファイターで、もうこれ以上は闘えないと思い逃亡をはかった「ダルタニャン」（アトー・エッサンドー）が、小作農とみられる白人たちと彼らの犬によって木の上に追い詰められている。木の根元に引きずり降ろされたダルタニャンに歩み寄るカルヴィンの背後には、半円状に他の奴隷や貧乏白人たちが囲んでいる。うなだれるダルタニャンにカルヴィンは話しかける――五〇〇ドルを出してお前を買ったのだから五回は闘ってくれないと困る、お前はまだ三回しか闘ってないだろう、俺はビジネスをやっているんだよ。カルヴィンにとって、ダルタニャンは一人の人間であるよりは、五〇〇ドルの価値を持つ所有物なのだ。だが注目すべきは次の行動である。カルヴィンは立ち上がって向きを変え、今度は周りを取り囲む観衆に向かって大きな声で同じ言葉を繰り返すのだ。「私は五〇〇ドルを払った。五回闘ってくれないと。私の五〇〇ドルはどうなる？」。これは、資本を独占しているカルヴィンがこの農場における価値体系の支配者でもあることを示すパフォーマンスである。カルヴィンは再度ジャンゴの方に向き直り、「私の五〇〇ドルはどうなる?」と繰り返し、さらに手を突き出して、「返済(reimburse)してくれるか?」と言う。困窮した表情を浮かべるダルタニャンに対して、カルヴィンは顔を近づけ、「返済(reimburse)の意味が分からないのか?」と言う。これを後ろで聞いていた白人の男は、「えへへぇ」と下卑た笑い声を立てる。この男は、「無知な黒人奴隷を笑いものにする」という権力者の期待通りの振る舞いをすることによって、奴隷制度の基盤を強化しているのである。奴隷が「返済する(reimburse)」という言葉が分からないことをわざわざ嘲るのは、カルヴィンが貧乏白人たちに黒人を嘲る機会を与えるためである。カルヴィンが「五〇〇ドル」という言葉を逃亡未遂した奴隷と観衆の両者に繰り返すのは、奴隷制度を変更のきかない経済的現実たらしめ、その制度の中心に自らを位置づけるための演出であると言えよう。キャンディ農場の強固な奴隷制度はカルヴィンがおそらく何十年もしつこく繰り返してきたであろう権力者としての演技と切り離せないのである。

この場面を輪の外から見ていたシュルツは、とっさに「私が返済しよう」と言う。この時、シュルツとジャンゴはカルヴィンの邸宅に入るために奴隷を買いにきた人間の振りをしているはずであった。奴隷制度の下では、闘えない黒人ファイターを買うことは端的に不合理である。シュルツの提案は役割を演じ続けるジャンゴによって冷静に却下され、ブルームヒルダを奪回するという二人のより大きな計画は頓挫を免れるが、いっぽうでダルタニャンは貧乏白人たちのけしかけた犬に食い殺される。カルヴィンは直接手を下すことなく、黒人に暴力をふるう機会を他の白人たちに与えようとするのである。犬がダルタニャンに襲いかかっている間、カルヴィンの視線は馬上のジャンゴ、および馬車に乗るシュルツに向けられる。彼は二人の視線を観察する。カルヴィンは残虐な光景に興味はない。彼が興味を持っているのは、二人の訪問者が本当に奴隷制度の内側にいる人間かを見極めることである。彼の後の場面でカルヴィンの邸宅で働く黒人の召使いであるスティーブンが二人の正体を「見抜く」ように、この映画において視線は意味に満ちた読解の対象であり、他者の視線を見る行為は奴隷制度と深く結びついている。

カルヴィンの創出する演劇的空間とは対照的に、シュルツの偏見のない人種観はジャンゴと二人きりの場面でよく表現されている。映画前半の一場面を見てみたい。シュルツがジャンゴを買い受けた後最初に訪れた街で酒場に入ると、店の主人は黒人が店に入ってきたことに気づき（当然、黒人は酒場に入ることを許されていないので）驚いて保安官を呼びに外に飛び出す。店主のいなくなった店で、シュルツはカウンターでサーバーから二人分のビールをつぎ、それを（ドイツ人らしく）泡切りで手際よく処理して、ジャンゴの待つテーブルへと運ぶ。そして、席に着くと「プロスト（乾杯）」とドイツ語で言いグラスを合わせる。初めてビールを口にするジャンゴは少し顔を歪めるのだが、彼が「個人」として扱われるのもまた初めてのことである。その席上、シュルツはお尋ね者のブリトル三兄弟の捜索を手伝ってほしいとジャンゴに頼む。そして、彼らを捕えた暁にはジャンゴを奴隷の身分から解放し、三兄弟一人につき二五ドルを払うと約束する。この話をする中で、シュルツは「断らないでくれると嬉しい」と言っている通り、ジャンゴがこの提案を断る可能性を勘定に入れているのだが、そのこと自体、彼が奴隷制度の論理の外にいることを示している。というのも、シュルツはすでに奴隷主に対して一二五ドルを支払っているからだ。ここでジャンゴがもし提案を断ったら、一二五ドルは全くの無駄になる。シュルツはジャンゴを奴隷として扱い、有無を言わさず彼を自分の目的のために用いることが出来るが、そうしない。つまり、ここで交わされているのは肌の色とは全く無関係な、相互の信頼に基づく個人間の契約であるのだ。シュルツはこの場面において「私は奴隷制を嫌悪する」と明言しているが、のちにジャンゴは自分の服を自分で決める自由を真っ青な衣装を身に纏うことで祝福するだろう。

ブリトル三兄弟を殺害したのち、シュルツとジャンゴは岩場で野営をしながら、冬のあいだは懸賞金ハンターとして金を稼ぎ、翌春になったらブルームヒルダを奪回しに行くという契約を結ぶ。ジャンゴは右手の手袋を外しシュルツと握手を交わすのだが、この行為が酒場の場面との対比で重要なのはジャンゴがすでに自ら進んで握手をするような「個人」となっているということである。この象徴的な「握手」は、のちにシュルツがカルヴィンに発砲する直接のきっかけとなったのが、奴隷売買契約の成立に際してカルヴィンがシュルツに要求した「握手」であったことの伏線となっている。また、酒場でも岩場でも、ジャンゴとシュルツが契約を交わす時、二人はお互いを見つめ、相手の強い意志を確認する。このことは、カルヴィンが周囲の視線を気にかけ、暴力への参加を促し、あくまでも五〇〇ドルを払ったことを強調しながら奴隷制度を保持していることとは対照的である。奴隷制度の内と外は、このようにタランティーノによって劇的に演出されていると言えるだろう。

3　ドイツ（語）的なもの

『ジャンゴ』は奴隷制度の支配する空間に偽装潜入しブルームヒルダを救出する物語と見ることが出来るが、シュルツを動機づけているのは単にジャンゴの賞金稼ぎへの貢献に対する返礼ということではない。シュルツがジャンゴに自己韜晦的に説明しているように、黒人の身体に値段をつける奴隷制と死体に値段をつける賞金稼ぎには、生きているものを扱うか死んでいるものを扱うかは違っても身体に値段をつけるという点で共通するところがある。ブルームヒルダの救出は、このような等価交換の外にある「物語」を動機としているのであり、そこにおいて重要となるのが、シュルツが参照しジャンゴに語る「ドイツ人ならだれでも知っている物語」、すなわち「ニーベルンゲンの歌」に基づくワーグナーの歌劇〈ニーベルングの指輪〉第三作《ジークフリート》の救出劇である［3］。シュルツは前述の岩場の場面でジャンゴの妻が「ブルームヒルダ」という名前だということを知ると、火によって囲まれた山に赴き、龍を倒してブリュンヒルド（Brunhilde）を救い出すジークフリートの話をする。これこそが、ジャンゴのヒーロー的な振る舞いの基盤となるドイツ的英雄像なのである。ブルームヒルダという名はシュルツには運命的に響いたのであり、この物語を語ることを通じて、シュルツの中でジャンゴはジークフリートと重なり、「ドイツ人として」ジャンゴを救うことが彼の責務となったのだ。このようにして、『ジャンゴ』における奴隷制度というアメリカ南部の大きな物語＝龍は、対抗する原型的物語＝言語として「ドイツ（語）」を召喚することになる。ブルームヒルダが英語とドイツ語を話すことが出来るということは、もう少し現実的な観点からは、一方で奴隷制度がドイツ人に無関係なものではないということを示唆し、他方で彼女が奴隷でありながらそれなりの言語教育を授けるような主人のもとにいたということを示唆する。シュルツがもともと持っていた奴隷制度への嫌悪は、このような示唆のもとで変革へのアクションに転化したのだと言えるだろう。

奴隷制度と「ドイツ」の二つの要素が交わる特権的な空間はブルームヒルダが迎え入れられるシュルツのゲストルームである。シュルツは屋敷に着くなり、例のドイツ語を話せる黒人の女の子を部屋によこして欲しいと切り出す。カルヴィンはもちろんこうしたリクエストの意図を汲み、「南部式のもてなし（Southern hospitality）に従って彼女を提供しないとならない」と言う。シュルツはまさに「南部式」性的搾取を模倣することで、ブルームヒルダを部屋に呼び入れることに成功するのだ。当然ながら、二人の女性に伴われてシュルツの部屋に来たブルームヒルダは沈鬱な表情を浮かべている。奴隷制度の習慣に従った自分の役割を知っているからだ。だが、部屋の中で二人きりになると、シュルツはドイツ語の二人称敬称（Sie）や相手の許可を求める表現を用いたり、自ら彼女のために水をついだりする（ジャンゴにビールを注ぐ場面の反復である）［4］。そしてシュルツの芝居がかった言葉の後、最初の扉とは違う壁面の扉が開き、そこにジャンゴが立っているのを見た彼女はカーペットの上に水をこぼして卒倒する。この狭い部屋と二つの扉によって、彼女はこれから性的搾取を受けようとする奴隷の身分から英雄によって救われる姫の身分に移動するのであり、それは南部のただ中に作られた

「ドイツ（語）的なもの」によって演出されたものなのだ。

4 啓蒙者シュルツ

物語空間への外国語の導入が既存の制度を揺さぶるとすれば、それは「返済する」という単語の意味が分からない黒人奴隷を嘲笑する態度とは正反対のものである。実際、シュルツは仕事の説明をするときにジャンゴに「賞金（bounty）」という言葉の意味を教えており、その後もジャンゴに英語の読み書きを教えてきたことが、お尋ね者の特徴を書いた紙を読み上げる場面において示される。シュルツは人に自由を与えることには責任が伴うと考えており、個人が社会において決断をなすために不可欠な言語能力をジャンゴに授けるのである。言語能力なき自由は真の自由とは言えない。作品の終盤でジャンゴが銃弾に倒れたシュルツの死体に向かって「さようなら（Auf Wiedersehen）」とドイツ語で告げるのは、奴隷制度の「外」を教えてくれた師に対する感謝の表明である。また、のちに撃たれたカルヴィンの手下の一人ビリー・クラッシュ（ウォルトン・ゴギンズ）が「ディジャンゴー」と叫ぶ時、ジャンゴ（Djangoと綴られる）は「Dは発音しないんだ」と教育することになるだろう。

これに先立ち、「さようなら（Auf Wiedersehen）」という別れの言葉は、シュルツがブルームヒルダの購入を終えて邸宅を出ていこうとした時にすでに言及されていた。そこでシュルツは、このドイツ語が文字通りには「また会うときまで」という意味を持つとカルヴィンに説明したのち、「あなたには二度と会いたくないのでGood Byeと言おう」と述べる。ここにはカルヴィンのような人間には外国語は贅沢であるという含意があるが、これを理解するにはさらに直前の場面にさかのぼる必要がある。

カルヴィンは南部の農園主らしくフランスかぶれ（Francophile）であり、周りから「ムッシュー・キャンディ」と呼ばれているが、フランス語を解しない。シュルツをいらだたせるのは、カルヴィンの浅薄な外国趣味である。シュルツたちの計画が見抜かれた後、カルヴィンのボディーガードを務めるブッチ・プーチ（ジェイムズ・レマー）はシュルツとジャンゴに後頭部から銃を突きつけ、カルヴィンはブルームヒルダの頭上にハンマーを構える。この緊迫した状況でブルームヒルダを一二〇〇〇ドルという法外な価格で買うことが決まった後、シュルツはカルヴィンが売買契約書にサインするのを待つことになる。プーチは何事もなかったかのように数分前に銃を向けた相手であるシュルツの横のソファに座り、白さの塊のようなケーキを食べ始める。部屋の片隅ではハープにより《エリーゼのために》が演奏されるのだが、シュルツの脳裏に浮かんで消えるのは犬に食いつかれ叫び声をあげるダルタニャンのイメージである［5］。シュルツはいらだった様子で立ち上がり、ハープの演奏を止めさせる［6］。数分前にジャンゴと並んで銃を後頭部につきつけられた時、シュルツはおそらく初めて人から奴隷と同様に扱われたのであり、身をもって彼らの恐怖と怒りを理解したのだ。その直後に、取ってつけたような「お上品さ」を演出するために《エリーゼのために》がハープで弾かれるということの俗悪さ。それはシュルツとジャンゴがワーグナーの歌劇を自分たちの行動の原動力に変えたのとは全く正反対の、現にここにある暴力を隠蔽するものとしての「ドイツ的なもの」の使用である。おそらく自分が五〇〇ドル払うことによって命を救うことが出来たかもしれないダルタニャンの残像を脳裏に残したままシュルツはカルヴィンの書斎に行き、親から受け継がれたのであろう本の背表紙に目を走らせる。そして、後ろのソファでケーキを食べているカルヴィンに向かって、犬に食い殺されたダルタニャンの話をはじめる。ダルタニャンは、アレクサンドル・デュマの『三銃士』の主人公の名前である。


「もしアレクサンドル・デュマが今日あの場にいたら、彼はどう思っただろう」

「認めないだろう、というのか？」

「いかにも。彼が認めるなどとうてい無理な話だ」

「ヤワなフランス人め」

「デュマは黒人だ」〔7〕

アレクサンドル・デュマに四分の一の黒人の血が流れていることは事実である。最後の言葉に対して、カルヴィンは意表を突かれた表情を浮かべ、返す言葉を失う。フランス趣味という（他の多くの南部の大農園主と同様）カルヴィンが自分を黒人奴隷、および貧乏白人と分け隔てるアクセサリーとして持っていたもの、白さの中の白さと思い敬重していたものの一部に黒さが紛れ込んでいたという事実は、彼の世界の秩序を破壊する。黒人は人種的に劣っているということには骨相学的な裏付けがあると、少し前に頭蓋骨を使って説明したばかりであったのは皮肉である。カルヴィンは自分の所有物である奴隷に対して戯れにダルタニャンという名前をつけたに違いないが、この南部的騎士道精神の伝統ときわめて相性のよい小説における英雄を生み出した著者のうちに黒人の血が流れていたとは思いもよらぬことだった。この瞬間、シュルツはすでにカルヴィンに啓蒙という名の大きな一撃を与えていたのである。

5　タランティーノの自己戯画

それでは、この作品は西洋近代の啓蒙主義が後進的で無知な米国南部の旧弊な制度に勝利する物語であるとまとめてしまっていいのだろうか。

「デュマは黒人だ」という啓発的な言葉は、タランティーノの映画鑑賞者に対する信頼の表れである。『ジャンゴ』は一八五八年時点での南部の奴隷制度をめぐる歴史的現実を描いているわけではなく、時代錯誤的な描写は非常に多い。だが、シュルツの言葉によって、あたかも作品内で積まれてきた様々な虚偽や虚構の借金をここで一気に返済するかのように事実への忠実さのラインが突然上がるわけであり、「デュマは黒人だ」という発言もまたデタラメと判断されるリスクが存在する。

だが、真実か虚偽か、本物か偽物かという二者択一的な問いはこの作品を語るのに適切ではない。たしかにカルヴィン農園は虚飾にまみれているが、それに対抗するシュルツもまた偽装的である（彼は本当に歯医者だったのか？）。南部の奴隷制度を支える骨相学が疑似科学だとすれば、ブルームヒルダ救出を動機づけたのはジークフリート伝説である。このことは、人を駆り立てるのは「物語」であり、その「物語」は個人の生の外部から到来するということを示している。もし近年の映画界に「真実の物語」であることを標榜する作品が増えたとすれば、タランティーノは映画によって真実を語ると主張することに語義矛盾と羞恥心を覚えるような反時代的な映画作家である。それどころか、彼にとって映画だけではなく人生もまた虚構的なのだ。

このような意識は、彼が自作中に出演する時にはきまってインチキな男を演じるという事実に反映されている。『ジャンゴ』においても、タランティーノはジャンゴを奴隷としてルクイント（Le Quint）採掘現場へと輸送する男の役で作品の終盤に登場し、ジャンゴの話にまんまと引っ掛かって、身につけていたダイナマイトもろとも吹き飛ばされてしまう。タランティーノの演じる人物はきわめて単純かつ鈍重な人物であり、シュルツのような多言語を操る知的人物の対極にある。『ジャンゴ』には多言語どころか、難しい英単語を解しない人物（冒頭に現れるスペック兄弟の一人）や訛りが強すぎるがゆえに何を言っているか分からない人物（ダルタニャンに犬をけしかけるストーンサイファ）も現れるが、このような人物たちもどうしようもなく現れてしまうのがこの世であるし、タランティーノ自身もこのようなヒルビリー的自己を切り捨て難く抱えているということをロクデナシどもの細部に至る演出で示しているのだ。タランティーノは『イングロリアス・バスターズ』でブラッド・ピットの演じるテネシー州出身でチェロキー族の血を引く南部白人アルドについて、「たしかに自分をモデルにしている」とインタヴューで答えている［8］。タランティーノはテネシー州ノックスヴィルで生まれているが、幼い時に母に連れられてロサンゼルスに引っ越し、そこで育っている。彼は祖父母の住むテネシーで一〇、一一歳のころ一年を過ごしたと言われているが、おそらくヒルビリー的なものを自らのアイデンティティとしてしまうのも彼にとって自己偽装的身振りなのだろう〔9〕。このような二重の自己像こそは、クエンティンという名の由来であるウィリアム・フォークナーの小説における登場人物と重なってくるところだが、これを論じるには仕切り直しが必要である。いずれにせよ、タランティーノは自己戯画化をもって、ジャンゴとシュルツという英雄たちの物語と釣り合うだけの反革命的で鈍重な人物を描いたのであるし、それでもなお、自己像とは物語であり、革命とは物語に基づく想像力の体現であるということを『ジャンゴ』が語っているということの意義を我々は考えなければならない〔10〕。

深い皮膚

——『神よ、あの子を守りたまえ』における商品化された「黒さ」と触覚的身体

1　モリスン最後の著作と現代におけるブラックネス

トニ・モリスンの一一作目『神よ、あの子を守りたまえ（*God Help the Child*）』は、著者生前最後の作品となった小説である［1］。二〇一四年末からその出版が予告され、二〇一五年四月の出版後ただちに多くの書評が新聞、雑誌、ウェブサイトで発表された。その評価はまちまちであり、多くの著作が絶賛をもって読書界に迎えられてきたモリスンとしてはやや低調であったと言っていいだろう。言語表現の美しさや巧みさから、モリスンの著作家としての健在ぶりを称賛している評もある［2］が、否定的な意見も少なくない。主たる批判のポイントは、子供の時に精神的・肉体的な傷を負った人物たちが登場するにしては、人物造形やプロットの展開が表層的だということである［3］。

たしかに『神よ、あの子を守りたまえ』は、多くの登場人物の複雑に絡み合った関係や、歴史と個人の関係を描き出した『ビラブド』や『パラダイス』のような重厚な作品とは異なっている。本作は、書評者の一人であるディーシャ・フィルヤーの指摘するように、黒人女性の容姿をめぐる精神的な傷に物語の重心を置いている点で、モリスンが一九七〇年に『青い眼がほしい』で探究したテーマに、四五年を経て立ち戻っているということができるだろう［4］。モリスンは本作を発表した翌年の二〇一六年にハーバード大学でおこなった講演で問うている。「「ブラックネス」が社会的・政治的・医学的に定義されると認められた場合、それは黒人にどのような影響を及ぼすのか」、と［5］。人種は社会的に構築されたものに過ぎないことを解明することと、そのように社会的に構築された人種が具体的な個人にどのように作用するかを考えることは全く別のことであり、前者が社会学、哲学、歴史学の仕事だとすれば、後者は〈他者〉への想像力に根差した文学にその探究をゆだねられている。『青い眼がほしい』のピコーラ・ブリードラブにとって眼の色が彼女の人生を左右する大事であったとすれば、『神よ、あの子を守りたまえ』のルーラ・アンにとって「タールのような」黒い肌の色は消去できない自己の一部なのだ。モリスンが最後の作品においてはじめて時代設定を現代にし、美醜や身体の問題へと立ち戻ったのは、それらの問題が今なお解決されていないことを示すためでもあったたろう。

本稿では、自我と社会の葛藤が演じられる場として主人公ブライド（ルーラ・アンの変名）の身体、とくに境界面としての肌や触覚の描かれ方を彼女の自己の身体に対する意識との関連において検討したい。『神よ、あの子を守りたまえ』は一人の黒人女性の心理と身体の状況の変化や過去のトラウマとのかかわりを、内的独白を用いながら丹念にたどった作品であるからだ。児童虐待とそれによるトラウマ、さらにはそれに介入し、癒す利他的な行動といった本作で扱われている一連のテーマとの関連も視野に入れながら、モリスンが皮膚という表層と心の奥底にしまい込まれたトラウマという深層をどのように往還しているかを辿ってみたい。

本論に入る前に、ルーラ・アンの出生をめぐる作品冒頭部や、小説全体の設定を紹介しておきたい。小説はカリフォルニア州の架空の町を舞台とし、母スウィートネスの視点から語り起こされる。ルーラ・アンの生まれつきの「黒さ」は、彼女の家庭に衝撃と亀裂をもたらした。スウィートネスの世代では、黒人の中でも肌の色は「薄ければ薄いほどいい」とされており、父母ともに肌の色は比較的明るかったからだ〔6〕。ルーラ・アンの肌の色に驚いた夫のルイスは妻の浮気を疑い、家を出ていく。スウィートネスは娘の困難な人生を心配し、社会の偏見に耐え抜くために「厳しく、とても厳しく」育てなければならないと感じて、実際には過度なルールをルーラ・アンに課すだけでなく、彼女を虐待する。スウィートネスは、母子家庭となった後、生活保護を受けながら経済的な自立をしていくことが示すように、社会的な弱者として扱われることを過酷な現実として受け止め、その環境を生き延びようとする人物である。スウィートネスという名前とは全く正反対の彼女の性格そのものが、アメリカ社会における人種的偏見の副産物であると言えるかもしれない。愛情に飢えたルーラ・アンは、母に手を握ってもらうために、小学校教師であったソフィアを性的な虐待者であると、法廷の場で彼女の有罪を決定づける嘘の証言をし、ソフィアは一五年にわたって刑務所で過ごすことになる〔7〕。そのソフィアが出所する時点が物語の現在である。ルーラ・アンはブライドと名前を変え、化粧品会社のリージョナル・マネージャーとして社会的にも成功するが、ソフィアとの再会、および恋人のブッカーに突然去られたことをきっかけとして、過去と対峙することになる。

作品の語りの技法についても説明が必要だろう。モリスン作品においては典型的な形式であるが、『神よ、あの子を守りたまえ』は多くの断章からなっており、断章ごとに視点人物が入れ替わる。語りを担う主な視点人物はスウィートネス、ブライド（ルーラ・アン）、ブライドの同僚のブルックリン、ブッカー、ソフィアである。このような視点の移動によって一つの出来事が複数の角度から語られるが、たとえば同じ形式を徹底することで共同体の声の多数性を表象する『パラダイス』などとは違って、『神よ、あの子を守りたまえ』がプライド個人の意識を中心とした作品であることは揺るがない。年号や歴史的なコンテクストをほとんど排除していることも、現代に生きる一人の女性の意識や身体的なレベルでの経験を浮き上がらせる仕組みとして機能していると言えるだろう。

2 「黒さ」は誰のものか

母スウィートネスの娘ルーラ・アンの黒さに対する恐怖や不安は人種差別的な構造の内面化であり、彼女の娘に対する厳しい躾は、人種差別から娘を守るということと混同された娘に対する人種差別である。が、それはスウィートネス一人の人格に帰せられる問題ではないだろう。差別される側の者は差別の構造を受け入れることで差別を反復し、人種的カテゴリーの枠組を強化する。それは、母と娘という関係に先行し優先するのであり、だからこそ、母は自分の娘に「お母さん」や「ママ」の代わりに、「スウィートネス」という名で自分を呼ばせる。「そのほうが安全だから」というのが彼女の考えなのだ（一一頁）。肌の色が極端に違う母娘にたいする社会の反応に対して、スウィートネスはきわめて防衛的なのである。

しかしながら、スウィートネスが常識と考えていた「薄ければ薄いほどいい」という肌の色についての通念は、ルーラ・アンが育っていく過程において変化していく。そして、ついには「黒さ」は一つの身体的な魅力として社会に受け入れられるほどになる。もちろん世間の「黒さ」への偏見が無くなったわけではないが、「黒さ」をポジティブに評価する社会的価値観が生まれたのであり、ブライドへと名前を変えたルーラ・アンはそのような新しい価値観に合わせて自己をデザインし、周囲から賛美を受ける。そしてその自己デザインのために、「トータル・パーソン」デザイナーを自称するジェリという人物からコーディネートについてのアドバイスをもらう。彼のアドバイスは、化粧や宝石を持たず、黒か白の色だけを強調せよというものであり、このことは「黒さ」そのものが消費社会においてアクセサリー的な商品価値を有していることを意味している。かつては「劣った肌の色」として自己を認識していた黒人が、今度は「ファッショナブルな色」と考えるようになったとしても、そこに他者の目が介在していることは同じである。ブライドは自己の身体を商品として造形すればするほど、周囲から称賛されればされるほど、それを自己のものとして所有していないという感覚を強めるのだ。

彼女が代わりに所有するのは、自分がマネージャーを務める化粧品会社の部署「ユー・ガール」であると考えることができる。実のところ、この部署名もジェリがブライドに向かって言った言葉の引用であるのだが、ブライドが「ユー・ガール」は「わたしのものでもある。すべてがわたしのもの——アイディアも、ブランドも、キャンペーンも」と強調するように、所有の幻想を彼女に与えているのである（一八頁）。

ブライドの身体と意識の乖離は、たとえば自分の性生活を栄養のないダイエットコークや、ヴァーチャルな暴力を行使するプレイステーションのゲームに喩えていることにも表れている（五二頁）。それは自分の中に何の痕跡も残さない消費的行為なのである。恋人のブッカー・スターバーンもまた「非の打ちどころのないほど美しい男」であるが、ブライドが「上唇の上の小さな傷痕と、肩の上の醜い傷痕――尻尾のあるオレンジ色がかった赤い球状の肉の盛り上がり――を除けば」と付け加えていることは、彼女がブッカーの身体を視覚的な評価の対象として捉えていることを示している（一六―一七頁）。実際にはそれらの傷痕のうちに意味や歴史を読もうとすることも可能であるのに、ブライドはブッカーという人間についてほとんど何も知ろうとせず、そのような薄い関係――ブライドはそれを「雑誌の見開きページや音楽」と比較する――に満足するのである（一六頁）。「わたしたちがカップルとしてどういうふうに見えたか想像してほしい」と語るように、彼女は自分とブッカーの関係を他人からどのように見えるかという視点から捉えているのだ（一七頁）。

3　ヴァーチャルな身体と触覚的身体

もちろん、こうしたヴァーチャルな身体性は、のちにその破綻を書くための小説上の布石であり、これを世界認識の破れや暴力的なものと対置しているのは、たとえば『アメリカン・サイコ』や『ファイト・クラブ』以降の現代小説としては特段珍しいわけではない。モリスン的な特徴は、主人公が過去の傷に立ち戻る様子を彼女の身体を文字通り幼児化させるというマジック・リアリズム的な手法によって描いている点にある。ブライドは、ソフィアが刑期を務めあげて出所する日に刑務所に赴き、自分の正体を明かして、彼女から暴行を受ける。それは他者からの暴力だが、他方では八歳の時に裁判所で児童虐待にかかわる嘘の証言をした自分に対する処罰という内的な過程でもあるのだ。ブライドの身体上の変化は陰毛が抜けていくことから始まり、次に耳たぶのピアスの穴が消え、最後には交通事故にあって治癒した後に胸が小さくなっていることに気づくにいたる。こうした変化は、身体の内に埋め込まれた彼女の内のもう一つの時間からの呼び声である。ブライドは「自分がもう一度小さな黒人の女の子に逆戻りしているという恐ろしい疑い」を抱く(一三一頁)。本書について否定的な書評を書いたロン・チャールズはこの部分を引いて「不必要に説明されている」と主張しているが、たしかにこれは語り過ぎているかもしれない[8]。

ブライドのヴァーチャルな身体性は、もちろん「黒人」という人種のカテゴリーそのものがヴァーチャルなものであることと関連している。母スウィートネスは、赤ん坊である娘の黒さを認識したときに毛布をかぶせて窒息死させようとするが、その彼女が初潮を迎えると今度は「彼女を平手打ちして、冷たい水の浴槽に押しこ」む(一〇七頁)。それは娘が妊娠可能である証拠を目にした母の恐怖と錯乱であるわけだが、この時に娘は「可能なかぎり身体的な接触を避けてきた母に触れられる満足感」を覚える(一〇七頁)。母との身体的なつながりはブライドにとって本質的な欠如であり、ソフィアに対する虚偽の証言をした八歳の少女への報酬は、母親から手を握られるということであった――

「彼女はわたしの手を握っていた。わたしの手を。それまで、一度もそんなふうにしたことはない」（四五頁）。母親に手を握られる経験は、更なる触覚的な飢えの記憶へとブライドを導く。彼女が子供だった時、母親が石鹸をつけたタオルで自分の体を嫌々こすると、「わたしは彼女に触れてもらいたい一心で、顔を平手打ちするとか、お尻を叩いてくれたらとよく願ったものだ」とブライドは回想する（四五頁）。暴力を通じたつながりであってもつながりが全くないよりはましであるというブライドの根源的な接触への飢えは、肌の色を介さない具体的な母娘の身体的関係への飢えであるわけだが、ここで石鹸というものが右に引いた母親の行動と結びつけられて重要な媒介物かつメタファーとして浮上する。

ブッカーに去られたブライドは、彼が「石鹸を泡立て、髭剃りブラシを使った」ことを覚えており、ソフィアの暴力で体に負った傷が消えた後にも残る悲しみを慰めるために、「衝動的に」ブッカーの髭剃りブラシを取り出し、それを自分の顔に押し当てる。

彼がよくやったように顎を撫でる。次に、ブラシを顎の下まで動かし、それから耳たぶの辺りまで上昇させる。どういうわけか、私は失神しそうになる。石鹸、石鹸の泡が要る。わたしはボディソープのフォー・ザ・スキン・ヒー・ラヴズのチューブが入ったお洒落な箱を、引き破って開ける。それを石鹸皿に絞り入れ、ブラシを濡らす。その泡を顔にこってり塗ると、息ができなくなる。頬にも、鼻の下にも泡を塗る。確かに、こんなことは狂ってると思うけれど、じっと自分の顔を見つめる。眼は以前より大きくなって、きらめいている。鼻は治癒しただけでなく、完璧だ。白い泡の下からのぞく唇は、見るからにキスしたくなる感じ。（四九頁）

ブッカーの所有する髭剃りブラシでブッカーがしていたように自分の顎を撫でる行為は、彼の不在にたいする代償的な行為であると言えるが、すでに見た文脈と重ね合わせれば　不在であった母娘関係の優しい接触の想像的な回復でもある。言い換えれば、ブライドは、実際には起きなかったが母親が自分の体を洗う時に起きればいいといつでも思っていたようなことを思い出すことで、失神しそうな恍惚へと導かれるのだ。このエクスタシーは石鹸の「白い泡」を用いた黒さの否定でもある。黒さが白さによって覆い隠されるとき、彼女は母親からの愛を想像することができるようになるのであり、このことは「黒人」というヴァーチャルな身体性によって定義される者が更なるヴァーチャリティーを上塗りすることによってのみ、触覚的身体の幻想を得ることが出来るという困難を示している。自分が受ける暴力そのものに嫌悪感がなくむしろ暴力によって何が得られるかに関心があるのは、ブライドが根源的には自己の身体を愛していないからに他ならず、それは母が自己の身体を愛さなかったことに由来する。ソフィアから受ける暴行について具体的な描写が一つもないことは、彼女が暴行を受けるときに自己の身体を意識から遮断していることを示唆している。ところでこれは、ブライド一人の経験だろうか。おそらくモリスンはブライドの身体的な経験に、黒人女性の集合的な身体の記憶を書き込んでもいるのだ。それは、奴隷制度の時代から、黒人が自分の身体を所有していなかったということとも関係しているだろう。黒人の身体の歴史において、多くの暴力はどこにも記録されていないどころか、記憶されすらしなかったのだ、とモリスンは示唆しているのである。

4 児童虐待、および償いと利他主義

『神よ、あの子を守りたまえ』は、性的虐待についてのブライドの虚偽の証言に対して、彼女の出会う人物たちの直接・間接の性的虐待の経験を対置している。このようにあまりに多くの登場人物がトラウマ的な過去を背負っているという人工的な設定は、作品をリアリズム的であるよりはアレゴリー的なものとしていると言えるだろう。実際、ブライドは自分がトラウマ的な過去を捏造した行為をほかの人物に対する利他的な行動によって無意識のうちに償っていると読めるのであり、交通事故にあって車に閉じ込められているブライドを発見してくれたレインやボーイフレンドのブッカーは他者のトラウマをめぐる深い思考へと彼女を導く人物たちとして描かれている。モリスンは二〇一二年に、冒頭で触れた講演とは異なる機会にハーバード大学で「善良さ——利他主義と文学の想像力」という問題の講演を行っており、そこで一九世紀の文学と比べて現代の文学は「善良さとはなにか」という問いをうまく追究することができなくなったと様々な例をあげながら主張している。それと同時に、自分が作家として第一作目から人間の利他的な行動を描いてきたと述べている[9]。

ブライドは最初から利他的に振る舞える人物であったわけではない。彼女がソフィアに対して行っ

た償いは失敗に終わった。ブライドは「苦しみを和らげる助け」にしてもらおうと、貯めたお金で買ったギフト航空券や自社の製品をプレゼントとして出所したばかりのソフィアに渡す（二〇頁）。このプレゼントについてのソフィアの内的独白は後の断章で現れる。ソフィアは「どうして彼女は死にも等しい十五年の歳月を金で消せると考えることができたのか」と当然ながら考えているのだ（九五頁）。この思惑の行き違いは、償いをお金で済まそうとするブライドの浅薄さを読者に印象付ける。

作品の後半において、ブライドは車の事故にあい、北カリフォルニアに住むスティーヴとエヴリンというヒッピーのカップルの家族に保護される。事故を起こした車の中のブライドを最初に発見していた子供レインは、ヒッピーの家族に保護される前に養父から性的虐待を受けていた。ここにおいて、トラウマ的な過去の経験という物理的には共有できないものを物語によって共有するという、モリスンが『ビラブド』や『パラダイス』において追究してきたテーマが反復されているのを見ることができるだろう。これについては様々な議論を展開することができるだろうが、本稿においては、前節において見たようなブライドの触覚的なつながりへの飢えがどのようなテーマ論的な発展を見せているかを考えておきたい。

ブライドはレインが義父からうけた性的虐待の話を聞いたのをきっかけにして、ヒッピーのカップルに保護されるまで彼女がどのように一人で生き延びてきたのかを聞く。そこでブライドの視点から語られる断章は終わるのだが、それに続くレインの語る断章では、ブライドがレギスという少年の発砲した散弾銃の小弾丸から身を挺してレインを守った話が語られる。散弾は「彼女の手と腕を傷つけた」のであり、それを治すためにレインの現在の養父スティーヴは「彼女の手と腕から小弾丸を取り出し」、養母エヴリンは、ブライドの「肌から血を洗い流し、彼女の手一面にヨードチンキを注ぎかけ」る(一四二頁)。このようにブライドを事故から救い、治癒した家族は、ふたたび彼女の治癒を手伝うわけだ。ここでレインを守るために「考えもせずに」差し出されたのが手であったことは偶然ではない(一四二頁)。モリスンはこのように衝動的に差し出された手の動きに、人間の巧まざる根源的な利他主義を見ようとしているのだ。そして、それは見ず知らずの彼女を助けてくれたスティーヴ、エヴリン、レインの利他的な行為のもたらした偶発的な帰結でもある。

手は、小説の結末におけるブライドとブッカーの関係の深化においても強調される。二人はお互いのトラウマ的過去を知り、相互の理解を深めることになる。ブッカーはブライドが自分の子を妊娠したことを知ると、「彼女が生涯待ち望んでいた手」を差し出す。ブライドはそれに応じ、「ブッカーの掌を撫で、それから指と指をからませ」る(二二八頁)。美醜や身体的特徴などの視覚的身体性とは異なる、二人の人間の手を通じた触れ合いを描くことは、人種のカテゴリーを可能とするような身体観とは異なる身体の受容の可能性を開くものである。その手はレインを守るために差し出され、その後に他者によって治療されたものであるということが、このややメロドラマティックとも言えるシーンの説得力を増している。

思い起こせば、『青い眼が欲しい』において手は人種間や美醜の闘争の場であった。たとえば、ヤコボウスキーという白人の登場人物は黒人の少女であるピコーラの「手に触れたくない」様子なので、ピコーラは彼にどうやって三セントを渡したらいいか分からないのだった[10]。また、モーリーン・ピールという「肌の色の薄い、夢のように素敵な黒人の女の子」が学校に転校してきたときには、彼女があまりに周りからチヤホヤされるので、六本の指を持って生まれてきたことを示す瘤を見つけてフリーダとクローディアはそれをからかったのだった[11]。手は人と人、人と物を仲立ちするのであり、こうした細部から人種間の、そして黒人同士のあいだの憎しみや嫉妬や闘争が生まれるということをモリスンは一貫して書いてきた。『青い眼が欲しい』には、「肉体の美しさ」を「人間の思想史の中でもっとも破壊的な概念」と呼ぶ一節まで存在する[12]。肉体を取り戻すためには肉体の美しさへの断ちがたい羨望と欲望の情念から解放されなければならないのであり、「ブラック・イズ・ビューティフル」というスローガンはなお抑圧的であるとモリスンは考えたのだ[13]。『神よ、あの子を守りたまえ』における希望に満ちた妊娠は、『青い眼がほしい』の結末である父親のレイプによるピコーラの絶望的な妊娠と対置されている。モリスンの最後の小説の楽天的とも言える結末は、彼女の描いてきた多くの絶望的状況と対置して読まれなければならないのである。

接続された身体のメランコリー

——ドン・デリーロの『ボディ・アーティスト』におけるメディアの存在論

1　デリーロとメディア

ドン・デリーロ（Don DeLillo）の小説『ボディ・アーティスト（*The Body Artist*）』（二〇〇一）の主人公ローレン・ハートキー（Lauren Hartke）は、フィンランドのコトカ（Kotka）という街のライブ・ストリーミング・ビデオを眺めるのを日課にしている。人気のない車道を映した単調な映像に奇妙にとらえられて、彼女は毎日それを身動きもせず何時間も眺める。「コトカは別世界だったが、彼女は現実感をもってそれを見た――その分秒刻みの時刻とともに」［1］。コトカは地理的には地球の裏側ほどにも遠くに存在している。しかし、それは彼女の日常と切り離しえないような「近い」存在でもあり、彼女の存在と同時的であるような時間性を有している。彼女はインターネットという目には見えないものの力によって、時間も空間も曖昧な領域に自己を埋没させている。

デリーロの小説においてメディアは個人と世界の関係を（再）構築する基本的な道具立てである。たとえば、テレビはしばしばプライヴェートな空間のうちに現実世界についての様々なイメージを現出させるような「内」と「外」をつなぐものとして描かれる。デビュー作である『アメリカーナ』（一九七一）ではこのアメリカ文化を象徴する機器の発明をアメリカ大陸の発見に対比しているし［2］、彼の代表作のひとつ『ホワイト・ノイズ』（一九八五）では、マーレイ・シスキンドという登場人物に、世界には「自分たちが住んでいる場所とテレビの場所」という二つの場所しか存在しないと発言させている[3]。実際、情報が物質的なものよりも現実としての重みを持つメディア社会において、このような非物理的な空間性は物理的な場所と同等の重みを持つのであり、テレビは人に遠くの場所を「所有」しているかのような錯覚を与える。サミュエル・ウェーバーは、「テレヴィジョン(*tele*-vision)」という語における接頭辞"tele-"の重要性に注意を喚起しながら、メディアによる「場」の分割について「テレビは空間的な距離を超克するが、それによって、場所という統一的な単位や、場所との関連において定義されるような全ての統一性——出来事、身体、主体——は分割される」と論じている[4]。まさにこのような離れた場所を接続すると同時に一つの場所を分割するようなメディアが、デリーロ小説の空間を特徴付けている。

インターネットがデリーロ作品にはじめて現れるのは、大長篇『アンダーワールド』(一九九七)の終わりの部分においてである。デリーロは、「サイバースペース」は「すべてが繋がっている」場所であるとし、オルフェウス神話の冥界に比して死のイメージを付与している[5]。登場人物の一人アルマ・エドガーは死後サイバースペースに迷い込み、自分が「ワールド・ワイド・ウェブ上のあらゆる接続に身を晒している」と感じる。

外の世界というべきか内の世界というべきか、とにかく彼女がいる場所には時間も空間もない。あるのはただ接続のみ。すべてが繋がっている。あらゆる人間の知識が集められ、リンクされ、ハイパーテクスト化され、このサイトはあのサイトへと繋がり、このページを参照する——キーストローク、マウスのクリック、パスワード——終わりのない世界、アーメン。[6]

このような時空間においては、観念としての「世界」は物理的な世界を代替し、「いま」や「ここ」はその特異性を奪われる。「空間の超克」が近代技術の掲げた目標であったとすれば、インターネットこそはその究極的な達成であり、それは、フランシス・ケインクロスがその著書のタイトルで示すように「距離の死」をもたらしたと言えるだろう[7]。インターネットは媒介するものと媒介されるものとの差異を極小化し、全ての事象が普遍的に直接的であるかのような世界像を現出させる。そこにおいてはヴァーチャルな現実が物理的な現実世界に置き換わり、身体は情報に還元される[8]。

本稿で考察する『ボディ・アーティスト』において、メディアの社会的、文化的な意義が小説中に表立った形で扱われることはほとんどない。実際、他のデリーロの作品と比べたとき、ある未亡人の私生活の描写を丁寧に追ったこの小説は、原書で一〇〇ページあまりという長さの点からだけでなく主題の点から言っても「小さな」作品の一つである。夫レイに先立たれたローレンの意識の流れはしばしば客観的なナラティブと渾然一体となり、生のうちに穿たれた死という不在の存在が沈黙と語りのあわいに織り込まれる。フロイトは「喪とメランコリー」において、愛情の対象を喪失した人がその喪失を十分に了解できず、外的世界に対する関心を失い、「自我自身が空虚になる」状態を「メランコリー」と呼び、喪失を了解し受容する「喪」と区別している[9]。夫レイがその死後も心の中で生き続けるローレンは、メランコリーの状態にあると言っていいだろう。全体として内省的な作品世界において、読者は彼女が実際に話したこと以上に彼女が心の中で感じたことを聞くことになる。彼女の声の直接性は、作品全体にわたって断片的な文や不必要な繰り返しが頻繁に現れることによって表現されているし、また一見客観的な記述の連なりがいつしか彼女の意識と連結されたり、ヌーヴォー・ロマンを思わせるような物質の運動を描きとった現象学的記述が現れたりもする。このように、この小説には言葉と物が習慣の鎖から解き放たれて、それぞれの資格において世界との直接的な関係を切り結んでいると感じられる場面が多く含まれている。

が、インターネット・メディアの時代において直接的に感じられるものとは何だろうか？ 高度に発達したメディアは目に見える形を持つことなく、それを利用する主体の内に溶け込むようにしてしか存在しない。そのような環境にあっては、ヴァーチャルな世界は物質的な世界を置き換えるようにして機能する。本稿は、ローレンの主体性がいかに「技術的無意識」と呼びうるような心的機制によって構築されているかを読解する[10]。メディアをただ単に技術的なものとしてではなく、ローレンの主体性を媒介する（*mediate*）ような全ての事象の総体として考えるとき、彼女の情動はメディアによって接続された主体の徴候として読みうる。これまで、この作品についての批評は、ローレンのメランコリーと彼女の夫レイの自殺との関連をしばしば強調してきた[11]。本稿はそれに直接的に反論することを企図しているわけではないが、ローレンの世界との関係の基本的な枠組みに関わる「所有」という概念に注目することで、この小説をメディアの時代における主体の運命を照らし出すアレゴリーとして読み、身近な他者の死が彼女の精神状態を決定しているという因果論的な読解に抵抗したい[12]。

ハイパーメディア環境において、「所有」という概念はどのような問題を提起するか。ローレンは身の回りのものだけではなく天気予報など所有とは本来無関係なものについても誰のものであるかにこだわる。このようなローレンの事物の直接的な所有や経験への欲望は、非物質的なもののヴァーチャルな所有可能性とその物質的世界からの乖離を示唆している。N・キャサリン・ヘイルズはいまや古典的な『私たちはいかにしてポストヒューマンになったか』において、デリーロの『ホワイト・ノイズ』も一例として引きながら、人間から「ポストヒューマン」への変化を「所有的個人主義」に重点を置く社会から「数値計算《コンピューテーション》」を基盤としそこへの「アクセス」によって構成される情報社会への変遷であると要約している[13]。ヘイルズ自身はこの二分法の生じる議論の枠組みを「身体化《エンボディメント》」という概念によってずらしていくが、さしあたり「所有的個人主義」が近代資本主義を特徴付けてきた主体と物質世界との関係であり、それがサイバースペースの誕生によって大きく変性したパラダイムであることは間違いない。であれば、ローレンは時代錯誤的に「所有」の概念をメディアによって形成されたヴァーチャルな対象に適用しているということになるのだろうか。しかしそう結論するより前に、「所有」や「個人」といった概念が前提とする「物質」や「身体」といった基底が、情報を基礎とする社会の中でどのように数値化されるか、あるいは数値化に抵抗するかと問い、思考することを『ボディ・アーティスト』は要請しているように思われる。「所有」のパラダイムによって世界と対峙することは、メディアの時代において、どのように可能であり不可能であるのか。ヴァーチャルな所有は、物質的な所有とどのように区別され、またその区別はどのように有効なのか。そしてこれら「所有」をめぐる問いがレイの死に対するローレンのメランコリー的心的機制とどのように重ねあわされているのか。これらの問題を、ローレンの諸物や世界、亡くなった夫レイ、さらには自己の身体との関係の検討を軸に考察していく。

2　メディア、死、所有

小説はローレンとレイが朝食をとる場面から始まる。テーブルに向かい合って座り、パンをトーストし、シリアルを食べ、ジュースや豆乳を飲み、新聞を読み、前の晩に家の中で耳にした物音について話す。アメリカの夫婦のありふれた朝の風景を描いたかのような第一章は、レイが車で家を去るところで終わる。何ひとつ特別な出来事は起きているように見えないし、物語の舞台も家の外側へと一歩も出ていない。しかしここに描かれたメディアに注目すると、彼らのローカルな生活のグローバルな広がりとの繋がりが強調されていることに気づく。たとえばローレンが新聞に目を向けた後に続く部分には、徴候的にメディアとメディアの伝える内容についての彼女の混乱が読み取られる。ローレンの意識の混入した二人称がこの小説に特徴的なアイデンティティのゆれを伝えているので、英語原文では切れ目のない一文となっている一段落全体を引用してみたい。

あなたは新聞の日曜版特集を他の部分から分ける。ずっと続く同じ活字の列、言葉の世界のどこかに住む人々、紙とインクの中に包摂された奇妙な現実、こうしたものが一週間かけて家の中に染み渡る。紙面に目を向け一行一行を追っていくと、あなたは記事の中に吸い込まれてしまう。地球の裏側で拷問を受けている人々がおり、別の言語を話す人々がいる。あなたはそういう人々と――なかば、抑えることができずに――会話をする。そして自分が何に耽っているかに気づいてやめる。それが何であれ、自分の目の前にあるものに注意が向かう。たとえば、夫が握っている半分ほどジュースの残ったグラス。[14]

不安定な二人称で名指されているローレンの意識は、新聞の中に描かれた「地球の裏側で拷問を受けている人々」と彼女の手にしている新聞の「紙とインク」という物質的表層の間をさまよい滑走している。ローラ・E・タナーも指摘しているように、彼女は新聞を「読み、漂流している」のであり、それによって「ここ」と「あそこ」という二つの場所を一度に同時に占めている[15]。同じ章に現れる「ラジオの天気予報を捜した（"trying to find the weather on the radio"）」といった文も、あたかもラジオの伝える「天気についての情報」が天気そのものとして受け取られているような印象を読者に与える[16]。

さらに彼女の身の回りのものとの関係に目を向けると、ローレンにとって「所有」という概念が自己と世界の関係を規定する重要性を有していることが分かる。彼女は家の中の「コーヒー」や「カップ」だけでなく、庭の餌台に飛んで来る鳥のような、所有とは無関係なものについても誰のものであるかにこだわる。さらに「電話は彼のものだったが、彼女が天気予報を聞くときだけは別だった」といった主張にいたると、彼女のオブセッションが事物（電話）とそれが提供する情報（天気予報）を同様に所有の対象とみなしていることが明らかになる[17]。このように過度に所有（者）にこだわるローレンの傾向は、彼女の世界においては事物そのものよりも「所有」という概念が前景化されていることを示している。たとえレイから天気予報を間接的に知ったとしても、ローレンは自分自身で電話をかけて「彼女の天気」を得ずにはいられない。メディア社会における「情報」は同質的で誰もがアクセスできる代わりに誰も個人の「もの」として所有できないのであり、ローレンのメディアに対するヴァーチャルな「所有」概念の適用は、そのような事態に対する直観的な反動であると言えるだろう。ラジオを利用しようが電話を利用しようが結局は同じ情報に行きつくしかない世界の物質的なものとの乖離は、彼女の世界との関係性に色濃く影を落としている。

このような点で、レイの自殺が新聞記事の訃報の引用という形で第一章と第二章の間に現れるという事実は注目に値する。小説の他の部分がローレンの意識の流れを反映した文として提示されているのに対して、この部分だけは以下の引用に見られるように彼女の意識から独立した事実として示される。訃報は三ページにわたってレイの六四年の人生、彼が撮った映画作品、三人の女性との婚姻歴を簡潔に伝えている。その見出しには「**レイ・ローブルス、六四歳　孤独な場所［LONELY PLACES］を描く映像詩人**」（強調原文）とあり、記事にはレイの映画についてのある「評論家」の言葉が引用されている[18]。

「彼の主題は疎外された光景の中の人間である。彼はなじみのない場所〔alien places〕の持つ詩情にナイフの先のような緊迫した鋭さを見出した。そこでは極限状況が避けられないものとなり、登場人物たちは生死を決する瞬間へと追い立てられる」〔19〕

「場所の映像詩人」としてレイを追悼するこのような言葉は、ローレンを戸惑わせる。第一章で、レイはローレンに「きみは僕の幸福な家庭。〝ここ〟という場」と語りかけているが、実際には「なじみのない場所」がレイを惹きつけ続けていたのである。様々な「なじみのない場所」は、そのような場所につながりを持たず「ここ」に同一化されるローレンを疎外する。訃報には「人生への答えは映画だ」というレイの言葉も引用されているが、ローレンはこのような訃報に接して、自分が「所有」しているレイのイメージは、彼の存在の全体を捉えたものではないのでは、という不安に駆られる〔20〕。

このような不安は、彼女があるとき受け取る電話によってますます深まることになる。レイが死んでからしばらくの間、彼女は誰からの電話も受けようとしない。しばらくして電話に出るようになったとき、彼女は自分のものではない「躊躇いがちな他人の声」を用いる〔21〕。世界との直接的な接触を避けるために、ローレンは電話で話す「私」を他者化しているのである。が、そのようにして「生」の世界から隔たっていたローレンは、レイの最初の妻イザベルから電話を受け取ることで「死」の世界に触れてしまう。レイはニューヨークにあるイザベルのアパートで自殺したのだった。イザベルはローレンに、レイの自殺の様子をこと細かく説明する。

「…私は今この部屋に立って、椅子の置いてあった場所を見つめているの。警察の人たちが運び出して検死官のところへ持って行くまで、彼の血やら何やらがついているその椅子は一日中ここに置いてあったわ。別に証拠を示そうっていうんじゃないけど。私は新しい椅子を買って、それで万事解決。それまではがらんとしてるけど。もちろん、彼はそれが実際に起きる瞬間をあなたに見せたくなかったのよ。だからニューヨークまで来て、私の椅子に座ったんだわ」

「あなたの椅子だったわけね。銃はあなたのなの？　彼は誰の銃を使ったのかしら？」

「あなた、おかしいんじゃない？　私の銃ですって？　このこともあなたは知らなかったわけね。彼はいつでも銃を持っていたのよ。どこにいても彼は銃を持っていたわ」[22]

この会話において、両者の関心はレイの死そのものよりも、彼の死がいかに現前したかという点に集中している。イザベルは、レイの死の場面を再現する際に「今」や「ここ」といった言葉を用いることで、それをいわば自らの領域に囲い込む。あたかも「私のイス」でレイが死んだということが、彼の死に一歩でも近づき「イス」もろとも彼の死を所有することを可能にするかのように。つまりイザベルもまた、ローレンと同じように、死後も「レイ」を所有しようとしているのだ。ローレンは朝食の場面と同じく、誰が何を「所有」していたのかという事実についてのこだわりを示すが、だからこそ、レイがいつでも「銃を持っていた」という事実に衝撃を受ける。そして、このような自分の知らない「本当のレイ」を伝えようとするイザベルに苛立ちを覚え、耳を閉ざす。後の場面では、これとは対照的なことが起こる。ローレンは、レイが累積した借金を残していることを電話で知らされる。しかし、その内容にもかかわらず、ローレンは「心が軽く」なるのを感じるのだ――「まさにレイらしい。彼女は愛情が沸き起こるのを感じた」[23]。ローレンは、このように自分の持っているレイのイメージに合致する事実を好む。実際には多様な側面を持つレイという人間に対して、ローレンは自分の了解しているヴァージョンのレイをしか悼むことはできない。ここに彼女のメランコリーの原因の一つがある。レイの死後も、レイとローレンの関係は生き続けるのだ。

ローレンが住む借家は彼女にとって私的な領域であり、彼女はそこに侵入してくる異他的なものに対して非常に敏感である。冒頭の朝食の場面に戻るならば、そこには、彼女の「領域」についての鋭敏な意識が現れる箇所を見出すことができる。彼女の食べているシリアルに紛れ込んでいたのか、朝食の場面で、一本の髪の毛がローレンの口の中に入り込む。ローレンは、それが「彼女のでも彼のでもない」ことに驚きを覚える[24]。ローレンは髪の毛そのものに対して不快感を覚えているだけではない。この髪の毛が所有者の不明な物質のまま彼女の口の中に入り込んでしまったという事態が彼女に衝撃を与えているのである。彼女にとって、そのようなことは「ここ以外のどこか」で起こるべきことなのだ[25]。

彼女の口はまだ歪んでいた――名も知らぬ食品業者の生活に触れてしまった経験のために、あるいはまた、もっと奇妙で入り組んだ現実のために。密着した経路を伝ってこの髪の毛は運ばれて来たのだ——人から人、おそらく口から口、年月と町々、病気や不衛生な食物、たくさんの有毒な体液を通過して。〔26〕

ローレンの想像力は一本の髪の毛の所有をめぐって世界的な流通や時間の広がりの上を浮遊する。彼女はその物質を何とか「所有」の関係の内に定位して、事態を了解したいと考えているが、それは失敗に終わる。この一本の髪の毛がどのような経緯を経て彼女の口にたどり着いたのかも、どのような衛生状態にあったのかも分からない。それは、彼女が私的な「所有」のもとにあると考えている空間が潜在的に様々な見知らぬものの侵入にさらされていることを告げている。

ローレンの「所有」の観念性をめぐって示した例の多くが第一章に現れることからも分かるように、彼女の世界との関係の不調はレイの死によって始まったわけではない。レイの死に先立って、あるいはその予兆と相関的に、それは起こっていたのだ。したがって、彼女の抱く疎外感は、死後も彼女の心を占領し続けるレイと、新聞や電話などのメディアによってもたらされる彼女の世界像の揺らぎによって二重に形成されたものと考えることができる。レイの死という取り返しようのない出来事と彼女の死をめぐる情報メディアは、どちらも彼女がすでに持っていた「所有」をめぐる病的な感覚との間に摩擦を起こすのであり、そのことは作品後半に至って、彼女の経験する世界そのものが変化するという帰結をもたらすのである。

3　インターネット的時間、身体、言語

スラヴォイ・ジジェクは一九九九年の著作『幻想の感染』において、サイバースペースがリアリティを持つ社会では人間の身体的な運動は一方ではただ機械に信号を送るだけのスタティックなものとなり、他方ではボディビルディングやジョギングなどによる意図的に負荷をかけたものとなるだろうと述べている[27]。インターネットの普及が始まった頃に書かれたこの著作は、未来の世界を正確に見抜いていたと言っていいかもしれない。実際、我々は今日多くの活動を、キーボードを叩きマウスを動かす動作によって代替しているし、他方では、自己の「健康管理」のためにスポーツジムで効率的に運動し、走行距離や消費カロリーを計算する。このような身体運動の記号化や数値化は、ヴァーチャルな次元における身体の所有ということが出来るだろう。『ボディ・アーティスト』におけるローレンは、本論の冒頭で見たようにコンピュータのスクリーンを前に何時間も座り続けコトカの映像を眺める一方で、様々な日常における動作を引用するかのように身体を動かす。

彼女は寒い部屋の中でも裸で運動するようになった。剥き出しの木の床に横たわってクロスオーヴァーをしたり、骨盤のストレッチをしたりした。これはエロチックであると同時にエロチックさのパロディでもあった。それから彼女は日常のジェスチャーをゆっくりと反復した。

腕時計で時間を確認したり、タクシーを拾おうとして振り返ったり。**別の概念の枠組みに機械的に導入された動作**。何度も繰り返し、さらにゆっくりとした動作で繰り返す。刻々と過ぎ去る日常の強度に驚いて口をあんぐり開け、目をしっかり閉じる。［強調は引用者による］［28］

このようにローレンは自分の身体を対象物のように扱う。ローレンが身体によって参照しているのは他人の身体所作であり、そのような身体による身体への言及は、引用によって自らの身体運動に枠組みを与え、身体を所有物に転化する技術である。このとき、彼女の身体はそれ自体メディアとなり、世界と接続される。ローレンはパフォーマンスによる身体の対象化を通じて、世界との関係を再構築するのだ。それは、彼女の自分自身を疎外から救うプロセスである。

ここにローレンの身体のインターネットとの親和性が存在する。ハイデガーは「技術への問い」において、本来的な技術の特性は「技術を道具的なものとしてみなすこと［"*Die instrumentale Bestimmung der Technik*"］」によって損なわれると主張したが［29］、インターネットの特性は何かの目的に使用されるような道具的側面にあるわけではない。ボルターとグルーシンの言うように、インターネットは「透明な直接性」として全てのものを「再メディア化」することによって新たに創出し、メディアの時代における「人間」を二重化する［30］。ローレンは身体をメディアとして使用することで、「ボディ・アーティスト」として身体そのものを世界に対する参照に開いている。そのような参照を可能にするのが、個人はインターネットによって世界に直接結び付けられているという想像的な繋がりである。ネット社会における全ての主体はお互いに参照しあい引用することが可能な要素として存在する。インターネットは人を直接的な経験から疎外するのではなく、「透明な直接性」のうちに人を包摂するのである。

コトカのライブストリーミングは、ラジオ、新聞、電話といった他のメディアと違って、彼女の「所有」の観念をかき乱すことはない。それはメディアの所有不可能性を露呈しないために、人に疎外の感覚を抱かせないのである。コトカは「彼女の心を空っぽにし、他の場所の深い沈黙を感じさせてくれ」る[31]。彼女にとってインターネットは空間を分断するのではなく、無数のつながりによって世界全体を包み込み、空間という概念を無化するのであり、遠くの町の映像が彼女のコンピュータのスクリーンに映っているという事態は、彼女にコトカを「所有」しているかのような幻想を抱かせる。あるいは、矛盾するようだが、それは彼女を「所有」することへの焦燥感から解放する。「透明な直接性」を通じたコトカという離れた、人の知らない土地ほど、誰にも邪魔されずに所有できるものがあるだろうか。「すべてをつなぐ」完璧なメディア（*media*）は直接的（*immediate*）である。そのような質的差異なき場において、彼女は「現在」という時間を体験する。

コンピュータの前に何時間も座り込み、生中継で流れ続ける映像をじっと見つめていた。フィンランドの都市を通る二車線の道路の縁から撮った映像。フィンランドのコトカ市は真夜中で、そして彼女はスクリーンを見つめていた。それが面白かったのは、それがたった今、彼女がここに座っているあいだに起きていることだからだ。そしてまた、それが一日に二四時間起こり続け、個人の顔は見えないからだ――ただ車がコトカ市から出たり入ったりしているだけ、あるいはただがらんとした未知を映し出す死んだ時間〔dead times〕だけ。死んだ時間〔dead times〕のときが最高だった。〔32〕

ここで描かれているのは、空間というよりも時間の体験である。ローレンにとっては、媒介された世界像こそが直接的であり、現在という時間の手ごたえを伝えてくれる。そして、そのためには、世界の時間は、車の通らないような二車線の道路において全ての事象の文脈から切り離され、右の文で強調されているように「死んで」いなければならない。それは、本来参照点であったはずの時計による時間が超越性を備えるような場所である。ローレンのいる場所でもフィンランドのコトカでも「どちらの現実も同時に起こり、時刻を表わす数字だけが変わっていく。奇妙で空虚な切迫感とともに秒が進んで分になり、分が時間へと向かっていく〔"the minutes climbing hourward"〕。そして彼女は座り込んでこれを見ている」〔33〕。このように「ここ」と「あそこ」の差異は消滅し、徹底的に数値化された時間のみが、インターネットと同様、ローレンに時間の経過を実感させる。すなわち、メディアに接続された身体にとって、そのような時間のみが存在論的な価値を有するのだ。ここには、媒介という機能そのものが媒介の内容に置き換えられているさまが見て取れるだろう。アンリ・ベルクソンは『意識に直接与えられたものについての試論』において、空間化された時間を質的時間から区別して非本質的なものとして論じているが、それとは対照的に右における一節は媒介されてある時間の空間性を“hourward”のような造語によって表現していると言える[34]。徹底的に空間を無化するインターネットの世界においては、時間のみが空間的差異を構成するとも言えるだろう。このようにして、彼女は遠くの、何も意味しない場所の映像を眺めることによって時間の流れを可視的なものとしてヴァーチャルに「所有」し、メランコリー的な心的機制における絶えざる過去との対峙から逃避するのである。右の引用に現れる「死んだ時間」という言葉の示唆するように、それは「死」という所有不可能なもののヴァーチャルなレベルでの所有であり、彼女のメランコリーの表出であるということができる。

しかし、『ボディ・アーティスト』において身体の物質的位相がすべて情報へと還元されるわけではない。そのことは、ローレンがレイの葬儀から帰ってきてからしばらく後に家の中に忽然と現れる小さな男――ローレンは彼のことを「タトル氏」と名づける――と彼女の関係を通じて明らかにされる。タトルは、一見インターネットどころかいかなる技術とも無縁な人物のように見える。彼の言葉は決して無意味ではないのだが、接続詞が欠けていたり時制の不正確な文を話したりするので、彼が話したことを文脈づけることが難しい。何よりも、基本的な対話の意思が欠けている。タトルは身体的には近い存在だが、言語的に、あるいは心理的に「遠さ」を保っていて、ローレンは「彼を位置づけるための参照点」の必要を感じずにはいられない[35]。ローレンは、このどこから来たとも知れぬ捉えどころのないタトルが「サイバースペースから出てきたのではないか」と考えて「面白がって」

いる。「真夜中に彼女のコンピュータ・スクリーンから現われ出た男。フィンランドのコトカから来た男」[36]。このようなローレンの想像は、彼女の心理のなかで、タトルとインターネットは互いに互いを補足しあうような関係にあることを示している。インターネットという物質的な参照先の曖昧な媒体が、タトルという人物において受肉したのである。タトルには時間や空間という概念が欠落しているために、彼との会話は「ここ」と「あそこ」や「いま」と「かつて」といった概念的区分なしになされる。彼は「自分にこれから何が起こるか全く気にしていないよう」であり、「我々が「現在」と呼ぶものに対して自分をどう合わせたらよいのか分からない」[37]。タトルは客体化するのが難しいほど主体として脆弱であり、そのため、物や観念を「所有」することによって世界の理解しようとするローレンには距離を欠いた存在に映るのである。そのように境界を知らないタトルは、まさにサイバースペースのように、「時間の論理に支配されず、ひとつの現実から別の現実へと移動」し、「他の存在の範囲内へと、他の時間生命へとはみだしていき、染み込んでいく」[38]。

このような特殊な能力を持つタトルはローレンをレイの生きていた過去へと運ぶメディアのように機能し、彼女のメランコリーに働きかける。彼はローレンやレイがかつて話した言葉を断片的に記憶していて、それをそのまま断片として繰り返す。そのようなタトルの言葉は過去に話されたことを現在の文脈に位置づけるという努力を全く欠いているから、ローレンはそのような言葉の断片にレイの存在が壊れずにそのまま存在しているかのように感じる。このようにローレンのタトルとの出会いは、彼女の自己自身の身体に対する認識だけでなく、彼女の意識の言語からの乖離を反映しており、この点についてローラ・ディ・プレタは、タトルによる「腹話術」は「ローレンのうちの根深い分裂、すなわち彼女の夫のトラウマ的喪失と直接つながっているような分断を客体化する」と指摘している〔39〕。タトルがレイの言葉の断片を繰り返すとき、ローレンは初めて自分の名前が彼によって口にされるのを聞くのだが、そのような他者の言葉の中での自己との遭遇は、ローレンが自分をレイの人生の中に位置づけることを許容するようなエピファニックな瞬間を形成する。他者のなかに自己を発見するというローレンの自己認証は、タトルを所有することを通じて自己を所有しようとする彼女の複雑な「所有」のプラクティスを示している。

ローレンがタトルの言葉をテープレコーダーに録音するのはこのような文脈から理解できる。レイはまだ生存しているとき、彼は二階にあるいくつかの部屋を行ったりきたりしながらテープレコーダーを使って自分の声を録音していた。ローレンは、その「レイの」テープレコーダーを使ってタトルの言葉を録音する。タトルがレイの言ったことを機械的に繰り返すとき、ローレンにはタトルとテープレコーダーは区別のつかない存在に感じられる。やがて、ローレンはタトルにレイの声で話すことを命じるようになる。「彼のように喋ってみて。彼のようにやって。彼の声で話して。レイをやってみて。彼の声を聞かせて〔*Do Rey Make me hear him*〕」〔40〕。このような命令的な口調は、ローレンがタトルをレイへと直接的に繋がるメディアとして所有しようとする欲望の表れである。タトルは時間という概念を持たないがゆえに、彼女に「過去」への通行路を開く時間の転轍機として機能するが、メランコリーを抱える者の「現在」に繋ぎ止められていないような感覚と、このような他者に過去という時間を代表させることで可視化し所有するという行動には深い関係があると言えよう。メランコリーが、人から確かな枠組みのもとにある「現在」や「過去」を奪うとすれば、これらの行動はそうした失われた時を直接的と感じられるような関係に引き戻す試みである。

しかしながら、タトルはローレンの思い通りに動く人形ではなく、身体を備えた存在である。インターネットのコトカのイメージとは違い、彼はローレンを所有の欲望から解放しはしない。たとえ彼がレイやローレンの言葉を繰り返すことによって彼女の過去のいくつかの地点を再現したとしても、ローレンは過ぎ行く時間という重力から決して解放されることはない。タトルの方も、他者の声を再現するだけの存在として消費される状態に、テープレコーダーを消すという形で、メルヴィルのあの卓越した消極的拒否の表現者であるバートルビーのように静かに抵抗する。いつから家に住んでいたのか、どこで自分とレイの会話を聞いていたのか、こうした質問に言語によってうまく返答することのできないタトルに対し、ローレンは「彼に触れたい」という欲望を抱くようになる。作品の中ほどに置かれたローレンがタトルをバスタブに入れて体を洗うシーンでは、身体的な所有への彼女の欲望が、観念的な所有の概念と交錯する。ローレンはタトルの体を洗いながら彼との身体的な接触に神経を集中させる代わりに、「彼の体の部位を名指し、数を数え」ながら彼を概念化する[41]。アン・ロングムーアはこのような作業はタトルに「身体の感覚を取り戻させる」と論じているが、実際にここで起きていることは、ローレンによるタトルへの身体的な接触の失敗であるように思われる[42]。ローレンは、彼女の指のタトルへの接触に名を挟み込まずにいられない。所有の観念が身体の上を皮膜のように覆っているのだ。

テクストの後半で、タトルによって口にされたりローレンがそれを想起したりすることによって、四度も繰り返される「触らないで〔"don't touch it"〕」という言葉は、身体的接触と指示言語のあいだの緊張関係を集約している[43]。これらが口にされるそれぞれの場面において、"it" が何を指しているかは明らかではない。が、このセンテンスそのものがローレンにとっては衝撃的なものである。というのは、少なくともローレン自身によれば、それはレイが車で出かける前にローレンが彼に言おうとしながら実際には口にしなかった言葉だからである。タトルは「未来を記憶している」人間だとローレンは考える[44]。これはレイを目にした最後の時点における未来のことであり、それらの言葉は口にされなかったが故に未来時制をまとい続けている。このような意識と時間の境界面を揺るがせるタトルという存在にローレンは苛立ちを覚えずにはいられない。タトルという他者を固定し、理解できる存在にしたいという彼女の欲望は「手でフレームを作り〔framed〕、そこに彼の顔を当てはめ」るという行動に表れる。「どうしてかしら、私はあなたの近くにいる気がするのに、あなたはそれほど私の近くにいるように思えないの」[45]。タトルに近づき捕獲することによって、ローレンは過去の重要な瞬間、すなわち、レイが家を去る瞬間に戻ろうとしている。そのような欲望は、反復の起源、すなわち自らのメランコリーの起源にこの手で触れたいという衝動の現れである。彼女の触覚的欲望は失われた時間に向けられた欲望であり、ローレンはタトルという通路を通ってレイの中に埋め込まれていたはずの自己に至ろうとしているのだ。

不可逆な時間を捕獲したいというローレンのメランコリックな欲望はタトルとの間の空間的な距離を乗り越えることに転換され、タトルへの接触は過去への接触という不可能な目的と同一視される。そのような接触への欲望は、ヴァーチャルな「死」の所有による喪の作業が身体／物質の位相と重なり合おうとする契機を示している。レイの言葉を忠実に繰り返すタトルはついに彼女の中でレイの存在と重なり合う。

レイは今この男の心の中で生きているのだ。彼の口に、体に、ペニスに。彼女の肌は電気を帯びた〔electric〕。彼女は自分自身を見た。自分が彼に向かって這って行くのを見ている。そのイメージが自分の目の前にある。彼女は床を這っており、その像がほとんど現実のものとして迫ってくる。彼女は何かが遊離したように感じる。固定されていたものが穏やかに放たれる。そして彼女は彼に抱きついて床に横たわらせようとする。彼を制止し、ここに留め、彼の体に這い登る、あるいは体の中に入り、溶け込んでしまおうとする。あるいは、ただうつぶせになり、止むことなくすすり泣く。それを自分自身に上から見つめられながら。〔46〕

タトルというサイバースペースから来た主体を押し倒し所有しようとするとき、ローレンの意識は行為をする身体とそれを外から眺める自我の二つに分裂する。「彼女の肌は電気を帯びた（electric）」という短い一文は、彼女の自己分裂という体験の電子メディアとの関連性を示唆しているかもしれない。

タトルを固定し所有しようとする彼女の試みが彼女自身の分裂に帰結することは、インターネットに物質的基底を見出そうという試みの必然的な挫折と重なり合い、ヴァーチャルな世界と物質的世界の決して重なり合わない差異を指し示している〔47〕。

タトルの固定とローレンの分裂という二つの運動の相関性は、インターネットに代表されるハイパーメディアの時代における物理的なものの確からしさの脆弱性をアレゴリー的に表現している。物理的な事象がすべてデータに転換されるようなインターネットの「透明な直接性」に自己の身体を馴致した者は、ハイデガー的な意味で存在を忘却し、自分が何から疎外されているかということすら失念している。この点で、タトルの「それに触れないで〔don't touch it〕」という命令句は、メディアの時代における絶対的な不可能性を表現している。メディアによって媒介された者は、触れるという経験から疎外されているからである。もしハイデガーの言うようにハンマーを用いるという行為こそがハンマーそれ自体よりもハンマーの本質を明るみに出すのだとしたら、我々は常にぼんやりとした明かりを発するコンピュータ・スクリーンを前に何をすればいいのだろうか？　ローレンのメランコリーは、こうした状況における我々の物質的なものとの関係を表現している。インターネットはローレンに家から遠く離れたコトカという街を眺めることを可能にしたが、コンピュータに接続された彼女の心が空間を内面化した途端に、彼女のコトカとの身体的な関わりはヴァーチャルなものとなる。このようにインターネットは身体的現実をヴァーチャルリアリティに置き換え人間を時間や空間における経験から疎外するというよりは、その疎外を忘却させ、むしろそのような経験を虚構的に構成する。そのようにして、メディアテクノロジーは物質的世界との関係において私たちを終わりなきメランコリーへと導く。

ローレンのタトルに触れたいという欲望は、彼女のコトカを眺めるという視覚的な体験において抜け落ちていたものを補填する。しかし、タトルはローレンが彼をメディアとして「所有」しようとした右の場面からほどなく何も食べなくなり、そして忽然と姿を消す。彼の「それに触れないで」という言葉は、ローレンが言おうとしていた言葉を予期していたのではなく、彼の触れられることへの拒絶を示していたのではないか？ ローレンがタトルに触れるとき、彼女のファンタジーとタトルの模倣の能力の間に危うく保たれていた均衡は崩れ去る。だが、それは彼女のメランコリーが産み出してしまった怪物的存在からの解放をも意味していると言えるだろう。

作品の終わりにおいて、ローレンは小規模の観衆の前で「ボディ・タイム」と名づけたパフォーマンスを行う。小説にはローレンの友達のマリエラによって書かれたその公演のレポートが挿入されている。それによれば、ローレンはその公演において様々な声を使い分けタトルやレイをはじめとする彼女の人生で出会った人物の行動や留守番電話の自動応答システムの音声などを模倣する演技をしている。「彼女が演ずるのは、いつでも他人になるプロセス、あるいは根幹のアイデンティティを探索することである」[48]。彼女の演技は身体を極限まで酷使するもので、観客の側に痛みを覚えさせる。アントナン・アルトーの「残酷の演劇」の言葉を使うならば、彼女のパフォーマンスは「記号の地位にまで高められた…人間の身体」を体現しており、「言葉、身振り、表現の形而上学を創造」していると言えるだろう〔49〕。パフォーマンスの行われている舞台の後ろの壁には、コトカを映したストリーミングビデオが映し出されているが、そのことはこのパフォーマンスが単に機械技術から離れた自然な身体への回帰を目指してなされたものではないことを示している。むしろコトカのような遠くの街を現前させることのできる機械技術が身体に与える情動こそが、彼女の身体を様々な声が一時的に憑依できるようなメディア的な領域に変異させるのである。他者の声を「所有」するというよりは、この演技が示しているものは他者の声によって憑依されることなのだ。

このようなパフォーマンスは、六〇年代後半から先鋭的なボディ・アートを展開してきたステラーク（Stelarc）というオーストラリア出身のパフォーマーを思い起こさせる。一九九〇年代後半からステラークはインターネットと身体の接続をサイボーグ的実験やパフォーマンスを通じて表現してきた。たとえば「ピン・ボディ［Ping Body］」というパフォーマンスでは文字通り身体の筋肉をコンピュータにつなぎ、接続された身体を体現する。こうしたボディ・アートの根底にあるのは、彼がインタヴューで語るように、テクノロジーの進展によって身体が「時代遅れのものになった」というステラークの認識である〔50〕。ステラークにとっては、テクノロジーが身体の延長なのではなく、身体がテクノロジーの延長なのである。彼の主張によるならば人間はすでにこうしたポストヒューマン的状況に「ある」のであり、「ピン・ボディ」はインターネットに接続された身体を可視化したものに他ならない。ドン・デリーロが『ボディ・アーティスト』の執筆にあたってこのような同時代のボディ・アートの動向に無自覚であったとは考えがたい。

　だがローレンのパフォーマンスのポイントは、ステラークのパフォーマンスのように接続を可視化することで人間とテクノロジーの繋がりを顕在化することにあるのではない。彼女のパフォーマンスは技術と身体を一つの機能のうちに繋ぐことを重視しているのではなく、接続された身体の物理的な世界へのメランコリー的関係を基礎においているのである。同様に、『ボディ・アーティスト』という作品は、ローレンの取り除きがたい「個人的所有」への欲望や、事物や死者に対する感情の描写を通じて、技術によって掬い取られえない物質／身体の位相を表現している。ステラークが自然の状態にある

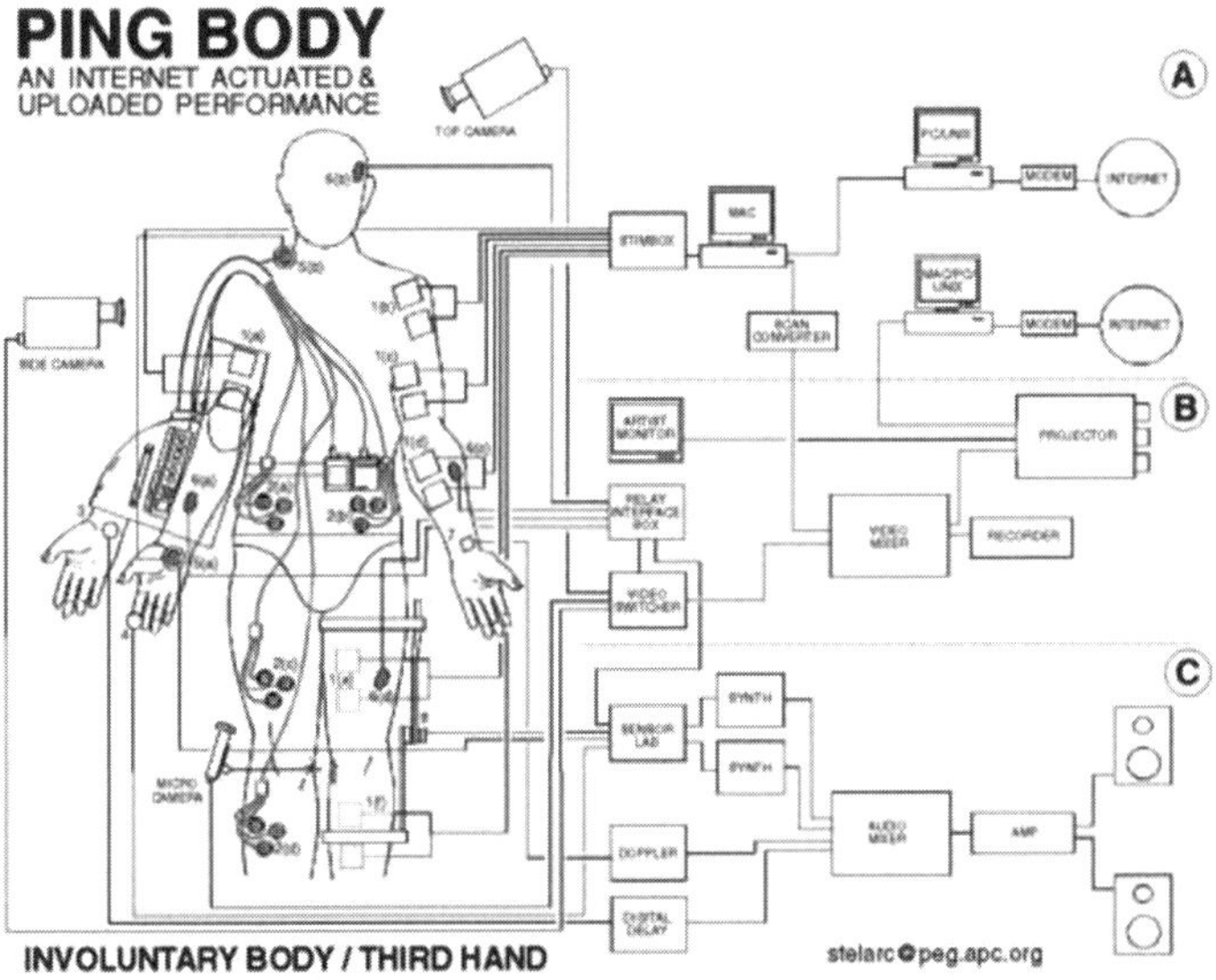

ステラーク「ピン・ボディ：作動したインターネット／アップロードしたインターネット」@Stelarc（出典：Ross Farnell, “In Dialogue with ‘Posthuman’ Bodies: Interview with Stelarc.” Mile Featherston ed., *Body Modifications*, London: Sage, 2005.）

身体を否定し、パフォーマンスを通じて新しい「メタボディ」を手に入れるための身体実験を行っているのだとすれば、ローレンの試みは身体から極限までの可塑性を引き出し、それを他なるものへと変性させることにある[51]。あくまでも身体こそが彼女の「パフォーマンスの強み」なのだ[52]。

あらゆるものがヴァーチャルなレベルで入手可能な世界においては、何が喪失されたかを同定することができない。同定されたものは、必ずヴァーチャルな空間で取り戻されてしまうからである。だが、メランコリーとは同定されえない喪失に対する情動であり、ここに『ボディ・アーティスト』のメディア文化に対する批判的射程が読み取られる。タトルの出現とローレンの彼に触れることへの欲望は、ハイパーメディアによって仮想化しきれない物質／身体の位相を示している。同様に、彼女の用いる「所有」というパラダイムは、全てが非人称的に共有されてしまうインターネット空間の原理の限界を指し示しているように見える。とすれば、『ボディ・アーティスト』はテクノロジーによって規定されるポストモダン社会における人間の条件を冷静に見据えつつも、それに対するユートピア的な全能観に対して批判的な応答をしていると考えられるだろう。語り手はある場面でペーパークリップが床に落ちたときの音を言葉によって言い表せないとし、それを「比喩化を拒む事物［"not-as-if of things"］」と呼んでいる。音は言葉がそれを表現するよりも先に失われ、消える。そのような情報化されない物理的現象への眼差しが、『ボディ・アーティスト』が主題化している接続された身体のメランコリーである。情報の時代における人間の「喪失の喪失」に対して、ローレンのメランコリーはなお遡及不可能な根源としての事物的世界を指示しているのだ。

註

序論　自宅への流刑、あるいは思い出すことすら不穏当なことを思い出すこと

［1］　Ben Macintyre, "*La Peste* Shows How to Behave in a Pandemic," *The Times*, 13 Mar. 2020, <https://www.thetimes.co.uk/article/la-peste-shows-how-to-behave-in-a-pandemic-bx6kdwtm0>.（二〇二〇年九月二一日閲覧）; Duncan White, "Common Decency and 'New Conditions of Life': the Albert Camus Guide to Surviving a Pandemic," *The Telegraph*, 20 Mar. 2020, <https://www.telegraph.co.uk/books/classic-books/common-decency-new-conditions-life-albert-camus-guide-surviving/>.（二〇二〇年九月二一日閲覧）

［2］　Mathew R. John, "Albert Camus in the Time of Coronavirus: Takeaways from His Book *The Plague* Which Would Make Us Smarter during the Pandemic," *The Week*, 17 Apr. 2020, <https://www.theweek.in/leisure/society/2020/04/17/albert-camus-in-the-time-of-coronavirus.html>.（二〇二〇年九月二一日閲覧）

［3］　アルベール・カミュ『ペスト』宮崎嶺雄訳、新潮文庫、一九六九年、四頁。このエピグラフの意義については、デフォーの専門家である武田将明による記事が明快に説明している。「『ロビンソン・クルーソーの敬虔な内省』とは、前年に刊行された有名な『ロビンソン・クルーソー』の好評に乗じて刊行された作品である。上の引用でデフォーが言っているのは、要するに、作者であるデフォー自身が孤独な人生で経験したできごと（「ある種の監禁状態」）が、ロビンソン・クルーソーの無人島における冒険譚（「他のある種のそれ」）へと置き換えられ

ている、ということだ」（『現代ビジネス』、二〇二〇年五月一日、<https://gendai.ismedia.jp/articles/-/72266?imp=0>、［二〇二〇年八月一九日閲覧］）。カミュが『ペスト』の構想を練っていた一九四二年における手記によれば、デフォーは彼の「目標にすべき外国作家」の一人であった（他の三人はトルストイ、メルヴィル、セルヴァンテス）（『カミュの手帖 1935-1959（全）』大久保敏彦訳、新潮社、一九九二年、一七八頁）。

［4］カミュの「手帖」には次のように記されている。「ぼくはペストという手段を用いて、ぼくらみんなが苦しんでいるこの窒息状態と、これまで体験してきた脅迫と追放との雰囲気を表現してみたい。同時にこの解釈を存在一般の概念にまで広げたい。ペストはこの戦争でともに反省と沈黙を味わった人たちの姿を伝えるだろう——また道徳的苦しみのイマージュをも」（『カミュの手帖 1935-1959（全）』大久保敏彦訳、新潮社、一九九二年、二三二頁）。

［5］アルベール・カミュ『ペスト』宮崎嶺雄訳、新潮文庫、一九六九年、八五頁。

［6］同書、九六頁。

［7］同書、二九一―二九二頁。

［8］同書、二九三頁。

［9］カミュは、ロックダウンされた市民たちがその外の世界に住む家族や友人たちと別離の状況に置かれていることを作品中で強調している。エウリディケの同時代文学における寓意的役割については、『ペスト』を構想している時期の「手帖」に次の記述が見出される。「四〇年代の文学にはエウリュディケーの濫用がある。それはこれほど多くの恋人たちが引き裂かれたことはかつてなかったからだ」（『カミュの手帖 1935-1959（全）』大久保敏彦訳、新潮社、一九九二年、二一〇頁）。

［10］アルベール・カミュ『ペスト』宮崎嶺雄訳、新潮文庫、一九六九年、一七四頁。

［11］同書、一〇五頁、一〇八頁。

［12］同書、二八二頁。

［13］アントナン・アルトー「演劇とペスト」『演劇とその分身』鈴木創士訳、河出文庫、二〇一九年、二五頁。

［14］同書、一九―二〇頁。

〔15〕同書、二一頁。
〔16〕同書、二三頁。引用文中で「バランスの取れた」と訳されている部分に対応する原語は、"pondérable"であり「計量できる、重さのはかれる」といった意味である。つまり、「伝達」が実質を伴った現実的なものであることを示している。
〔17〕同書、一九頁、二三頁。
〔18〕Jennifer Cooke, *Legacies of Plague in Literature, Theory and Film*, New York: Palgrave, p.99.
〔19〕アントナン・アルトー「演劇とペスト」『演劇とその分身』鈴木創士訳、河出文庫、二〇一九年、四〇頁。
〔20〕同書、四七頁。
〔21〕同書、四八頁。
〔22〕分かりやすくウイルスの進化における役割を説明したものとしては、フランク・ライアン『破壊する創造者――ウイルスがヒトを進化させた』夏目大訳、早川書房、二〇一一年を参照。
〔23〕中屋敷均『ウイルスは生きている』講談社現代新書、二〇一六年、五頁。
〔24〕アルトーの生政治に対する批評的な意義については、宇野邦一が単著『アルトー』の増補として付した議論において、示唆されている。「いつの頃からか、〈生命をめぐる政治〉が思想の重要な課題のひとつとして浮かびあがってきた。法でも人権でもなく、生命にじかに及び、生命を包囲する体制と技術が、世界に普及してきたからである。アルトーのたった一人の奇妙な戦いは、この〈政治〉に対する稀有な抵抗であったにちがいない」(「増補2　なぜアルトーか」『アルトー――思考と身体』白水社、二〇一一年、三七三頁)。
〔25〕東浩紀はコロナ禍という状況において喚起される「接触」の問題に注目し、技術による触覚環境の変化を次のように語っている。「この四半世紀ほどで一気に浸透したPCやスマホ、そしてそれを支えるネットは、まさにその「接触」を物理的で身体的な限界から解放し、拡張する装置だと捉えることができる」(「観光客の哲学の余白に　第22回――郵便的連帯と「接触」」『ゲンロンβ52』[通巻一〇九号]、ゲンロン、二〇二〇年八月二一日、位置No.254/1740)。こうしたメディア技術による身体の「拡張」については、マクルーハンの古典的著作に立ち返

らなければならないだろう（マーシャル・マクルーハン『メディア論——人間の拡張の諸相』栗原裕・河本仲聖訳、みすず書房、一九八七年）。

［26］スラヴォイ・ジジェク『パンデミック』斎藤幸平監修・解説、中林敦子訳、Pヴァイン、二〇二〇年、五―七頁。

［27］大澤真幸「ポストコロナの神的暴力」大澤真幸・國分功一郎『コロナ時代の哲学——ポストコロナのディストピアを生き抜く』左右社、二〇二〇年、一四頁。この禁止を告げる句をタイトルに持ち、その図像学的考察を行っているジャン＝リュック・ナンシーの著作もまた、「触れるな」というイエスの禁令は「ひとつの例外、神学における唯一使用例」だと述べ、キリスト教において不可触性が本質的であるという見方を脱構築的に否定している。キリスト教においては神の身体そのものが「食べ物や飲み物」として、つまり、パン（あるいはウエハース）とぶどう酒という形を取った「聖体」として与えられる以上、「ある意味でキリスト教においては何も、誰も、不可触ではない」のだ（ジャン＝リュック・ナンシー『私に触れるな——ノリ・メ・タンゲレ』荻野厚志訳、未來社、二〇〇六年、二五頁）。

［28］大澤真幸「ポストコロナの神的暴力」大澤真幸・國分功一郎『コロナ時代の哲学——ポストコロナのディストピアを生き抜く』左右社、二〇二〇年、一五頁。もちろん、「ノリ・メ・タンゲレ」のエピソードには、「聖書にして娼婦」という両義的なイメージを担い、キリスト教圏文化の歴史においては普遍的な女性性の象徴的存在ともなったマグダラのマリアに対する、ある種の蔑視を見ることもできるだろう。ジェンダーの役割を顧慮せずに触覚について議論することは、抽象化の危険を冒すことでもあるという認識は重要である。

［29］高村峰生『触れることのモダニティ——ロレンス、スティーグリッツ、ベンヤミン、メルロ＝ポンティ』以文社、二〇一七年、二三二頁。

［30］同書、八頁。

［31］ジョルジュ・アガンベン「エピデミックの発明」高桑和巳訳『現代思想』「特集＊感染／パンデミック」、二〇二〇年五月号、一〇頁。

［32］木澤佐登志は、「統治・功利・AI——アフターコロナにおけるポストヒューマニティ」の中で次のような重要

な指摘を行い、私たちの「監視」という言葉の意識に反省を促している。「例外状態の恒常化。セキュリティと管理支配《コントロール》の諸装置のより大規模な再編成が行われつつある。ハラリも指摘するように、監視の次元は今や皮膚の上から皮膚の下へと移行しつつある。政府は、国民の位置情報やスマートフォンで何を操作したのかを知りたがっていた。だがCOVID-19以降では、政府は国民の指の温度や皮膚の下の血圧の情報を知りたがっている」。もちろん、このようなことが恒常化し社会福祉と結びついた社会では、監視されないことのほうが監視されることよりも不安や疎外を感じることが容易に想像される。木澤はその点についても、中国での調査データに基づきつつ、「今や、人々は進んで自身のプライバシーをIT企業や政府に明け渡そうとしている」と述べている（木澤佐登志「統治・功利・AI——アフターコロナにおけるポストヒューマニティ」『思想としての〈新型コロナウイルス禍〉』河出書房新社、二〇二〇年、一一二頁、一一三頁）。

［33］「喪とメランコリー」伊藤正博訳、『フロイト全集』第一四巻、岩波書店、二〇一〇年、二七四頁。

［34］同書、二七七頁。

［35］もちろん、「接続」が新たな「社会」を形成するという見方も成立する。メディアによる社会の破壊と再構築については、ニック・クドリー『メディア・社会・世界——デジタルメディアと社会理論』山腰修三監訳、慶應義塾大学出版、二〇一八年、第四章、第五章を参照。

［36］このようなフロイトのメランコリー概念の応用については、ジュディス・バトラーの以下の書物における「メランコリー的ジェンダー」についての議論、特に第五章と第六章にヒントを得ている。バトラーがフロイトのメランコリーについての議論をジェンダーと主体性をめぐる議論へと応用したのを、さらにネット社会と主体性をめぐる議論へと応用するというアイディアの是非については理論的な検討を必要とするが、それは今後の課題としたい。ジュディス・バトラー『権力の心的な生——主体化＝服従化に関する諸理論』新版、月曜社、二〇一九年。

［37］Jay Murphy, "The Artaud Effect," *CTheory*, Sept. 15, 2015, <https://journals.uvic.ca/index.php/ctheory/article/view/15122/6110>.（二〇二〇年八月三〇日閲覧）

［38］アントナン・アルトー「錬金術的演劇」『演劇とその分身』鈴木創士訳、河出文庫、二〇一九年、七七頁。引用

[39] 文中の傍点は翻訳書には存在するが、フランス語原文には存在しない。彼のシナリオの中で唯一実際に映画化され、シュルレアリスム映画の先鞭となった『貝殻と牧師』について書いた文章の中で、アルトーは映画の魔術性を指摘しながら、自身の映画を夢の構造に結び付けている。「このシナリオは実際には夢ではないのだが、夢の機構にきわめてよく似通っているということだ。つまり、思考の純粋な働きをきわめてよく復元しているということなのだ」（「貝殻と牧師」『貝殻と牧師――映画・演劇論集』坂原眞里訳、白水社、二〇頁）。また、これの前年に、やはりシナリオ『貝殻と牧師』を紹介するために書いた文章において「もし映画が、夢や、目覚めている生活において夢の領域に類似するあらゆるものを翻訳するようにできていないのなら、映画は存在しないことになる」とも述べている（「魔術と映画」『貝殻と牧師――映画・演劇論集』坂原眞里訳、白水社、一六頁）。さまざまな事物の類似を蝶番にしてイメージがイメージへと繋がれては切断される映画『貝殻と牧師』（一九二八）は、少なくともノーランの『インセプション』よりは、人間の夢の実際の姿に近いと言いうるだろう。

[40] 「アルフレッド・ジャリ劇場（第一宣言）」『貝殻と牧師――映画・演劇論集』坂原眞里訳、白水社、一〇七頁。

第一章 構築と落下

[1] ルイス・キャロル『不思議の国のアリス』矢川澄子訳、新潮社、一九九四年、一六頁。

[2] Donald Woods Winnicott, *The Family and Individual Development*, London: Tavistock, 1965, p.18; *Deprivation and Delinquency*, London: Tavistock, 1984, p.225.

[3] 落下をスピードの体験と捉えるとき、それに比較しうるような加速度を伴った水平の運動がモダニズムの時代に初めて可能になったということも出来る。潜在的な死は機械の時代に広範化した。Enda Duffy, *The Speed Handbook*, Durham: Duke UP, 2009 は、「スピード文化」を特徴付ける事故死について語っている。p.5, p.209 を参照。

[4] キャシー・カルース『トラウマ・歴史・物語——持ち主なき出来事』下河辺美知子訳、みすず書房、二〇〇五年、一〇九—一一〇頁。

[5] 蓮實重彦『映画の神話学』泰流社、一九七九年、二六六頁。

[6] 同書、二八〇頁。

[7] 同書、二八一頁。

[8] この複雑に構成された映画については、それを解説した専門サイトが日英両方にあり、この論文の執筆はそこから大きな示唆を受けた。英語版はWikipediaの記述法に従った"Inception Wiki," <http://inception.wikia.com/wiki/Inception_Wiki> で編集が可能な一三一のページから成り立っている。日本語版は、「映画徹底解説.com」の一部で、映画『インセプション』の物語や謎について様々な角度から検討している。

[9] こうした厳格なルールや構造は本来の夢とはまったく無縁のものではないか、という妥当な指摘は映画公開当初からなされてきた。Jim Emerson, "*Inception*: Has Christopher Nolan Forgotten How to Dream?," RogerEbert.com, 17 July 2010 <https://www.rogerebert.com/scanners/inception-has-christopher-nolan-forgotten-how-to-dream>.（二〇二〇年八月四日閲覧）

[10] Christopher Nolan, Inception: *The Shooting Script*, San Rafael, CA: Insight, 2010, p.8.

[11] Nolan, Inception, pp.64–65. 翻訳は字幕を参考にしながら、原文に基づいて自ら翻訳した。以下の註では、参考までに脚本の対応する部分のページ数を記している。なお、この脚本と実際の映画の中のセリフでは異なる箇所がかなりある。

[12] Nolan, Inception, p.69.

[13] エッシャーに言及している『インセプション』の映画評は多いが、たとえば次のようなものがある。Dana Stevens, "Mind-Blowing but not Heart-Moving," 14 July 2010, *Slate*, <http://www.slate.com/articles/arts/movies/2010/07/inception.html>,（二〇二〇年九月一〇日閲覧）、Fernando Alfonso III, "Nolan Channels Escher in Inception," 21 July 2010, <http://handshakemag.com/nolan-channels-escher-in-inception/>.（二〇二〇年九月一〇日閲覧）

[14] Nolan, Inception, p.83.

［15］ダグラス・R・ホフスタッター『ゲーデル、エッシャー、バッハ――あるいは不思議の環』野崎昭弘ほか訳、白揚社、一四三頁。
［16］Nolan, Inception, pp.16–17.
［17］Darren Mooney, *Christopher Nolan: A Critical Study of the Films*, Jefferson, NC: McFarland, 2018, p.161.
［18］Nolan, Inception, p.28.
［19］Nolan, Inception, p.196.
［20］Nolan, Inception, p.141.
［21］Nolan, Inception, p.140.
［22］さらに、夢の階層を上がるか、夢から現実に戻る際に用いられる合図となる音楽はエディット・ピアフの“Je ne regrette rien”であるが、モルを演じるマリオン・コティヤールは二〇〇七年のフランス映画『エディット・ピアフ～愛の讃歌～』でピアフ役であることに注意する必要がある。つまり、夢の階層の全ての境界にモルの存在が影を落としていると考えることができる。
［23］Nolan, Inception, p.11.
［24］驚くべきことに、リチャード・ドリューはケネディー暗殺の現場にも居合わせ、多くの写真を撮っている。この点については、9・11のイメージ研究である David Friend, *Watching the World Change: Stories behind the Images of 9.11*, New York: Picador, 2006 の pp.136–141 を参照のこと。
［25］このような美しさと倫理の衝突についてホロコースト表象を扱ったものとして Brett Kaplan, *Unwanted Beauty: Aesthetic Pleasure in Holocaust Representation*, Urbana: U of Illinois P, 2007 を参照せよ。
［26］ドン・デリーロ『堕ちてゆく男』上岡信雄訳、新潮社、二〇〇九年、二九六頁。
［27］二〇一一年秋、9・11から一〇年を経て作られた *Modern Fiction Studies* の特集「9・11以後のフィクション」のセクションの一つは“Falling”と題されており、この事象の歴史的日付へのかかわりへの認識を示している。

第二章

背後の世界、あるいはあらかじめ喪われているものの彼方へ

［1］ Lou Reed, "Preface," Delmore Schwartz, *In Dreams Begin Responsibilities and Other Stories*, New York: New Directions, 2012, p.vii.

［2］ Delmore Schwartz, "A Dream of Whitman Paraphrased, Recognized and Made More Vivid by Renoir," *Last and Lost Poems of Delmore Schwartz*, ed. Robert Phillips, New York: Vanguard P, pp.47–48.

［3］ ユダヤ文化研究者のメナケム・フォイヤーは「おかしな二人組（"odd couple"）」という言葉を用いて二人の関係を論じている。Menachem Feuer, "Delmore Schwartz and Lou Reed: The Odd Couple," *The Home of Schlemiel Theory*, 30 Oct. 2013, <http://schlemielintheory.com/2013/10/30/delmore-schwartz-and-lou-reed-the-odd-couple/>.（二〇二〇年八月七日閲覧）

［4］ アメリカにおける反ユダヤ主義については、次の書物を参照。Robert Michael, *A Concise History of American Antisemitism*, Lanham, MD: Rowan and Littlefield, 2005.

［5］ James Joyce, *Finnegans Wake*, Oxford: Oxford UP, 2012, p.3.

［6］ ジョージ・ハーヴァード『ヴェルヴェット・アンダーグラウンド＆ニコ』中谷ななみ訳、Pヴァイン、二〇一〇年、一四二頁。パラノイアを冷戦期アメリカ特有のナラティブとして論じているO'Donnellを参照するならば、この一曲もまた冷戦の詩学の一例と捉えることができるかもしれない。Patrick O'Donnell, *Latent Destinies: Cultural Paranoia and Contemporary U. S. Narrative*, Durham: Duke UP, 2000.

［7］ Delmore Schwartz, "In Dreams Begin Responsibilities," *In Dreams Begin Responsibilities and Other Stories*, New York: New Directions, 2012, p.9.

［8］ 少年時代のシュウォーツを夢中にしたのは文学とベースボールであった。彼は一九二〇年代初頭に黄金期を迎えていたニューヨーク・ジャイアンツの全ての選手の打撃成績を正確に覚えており、四〇年後にその数字をニューヨークの酒場でそらんじて周囲を驚かせたという。ベースボールは、彼にとってアメリカンドリームの重要な

一形態であった。しかしある日、彼は友人から「ジャイアンツが反ユダヤ主義的である」という話を聞く。アメリカにおけるユダヤ人としての自分の特殊性を自覚するようにつれ、彼はこのような「アメリカ」のイデアに自己投影することの失敗に絶望感を抱くようになった。cf. James Atlas, *Delmore Schwartz: The Life of an American Poet*, New York: Farrar Straus and Giroux. p.21. 逐一注記しないが、本稿におけるシュウォーツについての伝記的記述はこのアトラスの伝記によるところが大きい。

［9］Delmore Schwartz, "America! America!," *In Dreams Begin Responsibilities and Other Stories*, New York: New Directions, 2012, p.37.

［10］セーレン・キェルケゴール『死に至る病』斉藤信治訳、岩波文庫、一九三九年、三四―三五頁。

［11］シュウォーツのエッセイを集めた書物の編集者たちは、「彼の不正義に対する早くからの嫌悪は、不正義はいたるところにあるという偏執的な確信へと発展した」と的確に指摘している。Donald A. Dike and David H. Zucker, "Preface," *Selected Essays of Delmore Schwartz*, Chicago: U of Chicago P, 1970, p.xi.

［12］リードはシュウォーツの影響から詩に傾倒し、大学時代に文芸誌 *The Lonely Woman Quarterly* を発刊した。現在、シラキュース大学の創作科には、リードが二〇〇七年に作った「ルー・リード／デルモア・シュウォーツ奨学金」がある。

［13］Rob Jovanovic, *The Velvet Underground Unpeeled*, London: Aurum, 2010, p.23.

［14］Reed, "Preface," p.vii.

［15］坪内祐三『変死するアメリカ作家たち』白水社、二〇〇七年、二八頁。この書の冒頭に収められた「デルモア・シュワルツの悲劇」は、日本語で読むことの出来る数少ないシュウォーツ論の一つである。また秋元秀紀は、ニューヨークのユダヤ系左翼雑誌であった『パーティザン・レヴュー』の歴史をたどる中で、シュウォーツに触れている。「夢の中で責任が始まる」は、休刊していた同誌が再刊された一九三七年の第一号の冒頭に掲げられたものであった（秋元秀紀『ニューヨーク知識人の源流――１９３０年代の政治と文学』彩流社、二〇〇一年、一三七―一四三頁）。

［16］リードが最晩年のシュウォーツに送った手紙は、現在、イエール大学バイネキー図書館の「デルモア・シュウォ

ーツ・ペーパーズ」に所蔵されている。今回調査の中でこの手紙の存在に気づき文書のコピーを得ることが出来た。そこには、いくつかの注目すべきことが書かれている。まず、シラキュースを卒業したシュウォーツは、ハーバードの大学院に行くことを選択肢として考えていたということである。どの学部かは分からないが、手紙の中で願書が手元にあることが記されている。そして、シュウォーツへの手紙だからということもあるかもしれないが、「よい書き手」になる強い決心が綴られている。「努力に努力を重ねれば、僕はよい書き手になることが出来るだろう。それこそが、回り道なんかせずに、僕がしなくちゃいけないことなんだって分かってる。でも、身のまわりを整えなくてはいけないね。たぶん、僕はまた学校に行くだろう。教えるかもしれないし、ヨーロッパに行くかもしれない。分からないけど。でも、まずもって書かなくちゃいけないし、僕はそれでお金を稼ぐことが出来るくらい自分はよい書き手だと思うよ」。リードが音楽の道を進んだ後も、文学は決して彼の頭から離れることはなかった。一九七九年に彼は、「僕は『カラマーゾフの兄弟』と同じレベルのロックンロールをやりたいんだ」と述べている（Nick Johnston ed, Lou Reed "*Talking*," London: Omnibus, 2005, p.63）。

［17］ジル・ドゥルーズ＋フェリックス・ガタリ『千のプラトー』宇野邦一ほか訳、河出書房新社、一九九七年、二八二頁。

第三章　星条旗の（黒い）星のもとに

［1］Eric Webb, "Bowie Street Sign Ch-ch-changed to Honor David Bowie in Downtown Austin," *Austin360*, 14 Jan. 2016, <https://www.austin360.com/ENTERTAINMENT/20161012/Bowie-Street-sign-ch-ch-changed-to-honor-David-Bowie-in-Downtown-Austin>.（二〇二〇年八月六日閲覧）

［2］『Crossbeat　増補改訂版デヴィッド・ボウイ』シンコー・ミュージック・エンタテイメント、二〇一六年、六六頁。

［3］Buckley によれば、一九七〇年代に彼はボウイという名前の象徴性についてボウイナイフと結び付けて、それが「嘘を切り裂いて、隠された真実を暴く欲望」を示していると述べている。David Buckley, *Strange Fascination: David*

Bowie: The Definitive Story, London: Virgin, Revised ed., 2005, pp.26–27.

［4］David Bowie, "Changes: The David Bowie Story," Interview by Stuart Grundy. BBC Radio 1, May 1976, BBC Sound Archive. なおこの発言の部分は、以下の文献に引用されたものとして読むことが出来る。Kathryn Johnson, "David Bowie Is," Eoin Devereux et al. eds., *David Bowie: Critical Perspectives*, New York: Routledge, 2015, p.9.

［5］Hanif Kureishi, *Collected Essays*, London: Faber and Faber, 2011.

［6］Mary Finnigan, "An Interview with David Bowie," *International Times*, 15 Aug. 1969, p.14. <http://www.internationaltimes.it/archive/index.php?year=1969&volume=IT-Volume-1&issue=62&item=IT_1969-08-15_B-IT-Volume-1_Iss-62_014-015>.（二〇二〇年八月六日閲覧）

［7］ボウイにおける時間の問題については、以下の論を参照されたい。田中純『政治の美学――権力と表象』東京大学出版会、二〇〇八年、一一二―一一九頁。

［8］Finnigan, "Interview," p.14.

［9］Whitney Lee Savage, dir. *Mickey Mouse Goes in Vietnam*, Max Cats and Whittesey Sledge Studios, 1969. Film. なお、同フィルムは長い間失われたものと思われてきたが、二〇一三年に YouTube にアップロードされ、現在は鑑賞が可能である。"Mickey Mouse in Vietnam (Original Soundtrack Restored)," *YouTube*, uploaded by Shane Fleming, 2 Sep. 2018, <https://www.youtube.com/watch?v=nrwXS6Y1ZXM>.（二〇二〇年八月六日閲覧）

［10］Marc Spitz, *Bowie: A Biography*, New York: Random House, 2009, p.177.

［11］「ジギー・スターダスト」というキャラクターの名前は、少なくとも部分的には、レジェンダリー・スターダスト・カウボーイという一九六〇年代後半の、それ自体カウボーイ文化のスタイルをパロディ化したミュージシャンの名前に由来している。

［12］ボウイについてのエッセイ集も出している Simon Critchley はニューヨークタイムズのポッドキャストである *Popcast* に出演し、一月一三日の放送でいち早くこのことに言及した。cf. Ben Ratliff, "Popcast: Love, Death and David Bowie," *The New York Times*, 13 Jan. 2016, <https://www.nytimes.com/2016/01/13/arts/music/popcast-love-death-and-david-

bowie.html>.（二〇二〇年八月六日閲覧）

［13］ David Cavanagh, "Changes Fifty Bowie," *Q*, February 1997. Sean Egan ed., *Bowie on Bowie: Interviews and Encounters*, London: Souvenir, 2015, Kindle.

第四章 "Can I Be Real ?"

［1］ リトル・リチャードが鬼籍に入った翌日、ボウイの公式フェイスブック・ページには彼を追悼する記事が投稿された。そこには、ボウイが「七歳の時にリトル・リチャードの写真を購入したこと」に触れた、一九九一年のインタヴューが引用されている。この写真は回顧展の「デヴィッド・ボウイ・イズ」でも飾られており、ボウイが一生大事にしていたものである。全く同じ物ではないかもしれないが、レコーディングの際にボウイはいつもリトル・リチャードの写真をスタジオに持ち込んでいた。Melena Ryzik, "The Bowie You've Never Seen," *The New York Times*, 19 Mar. 2018, <https://www.nytimes.com/interactive/2018/02/27/arts/music/david-bowie-is-brooklyn-museum-exhibit.html>.（二〇二〇年七月一二日閲覧）二〇一三年に「デヴィッド・ボウイ・イズ」のトロントにおける展示に合わせて発表されたボウイの選ぶ一〇〇冊の中には、Charles Whiteの *The Life and Times of Little Richard* が含まれている。"David Bowie's Top 100 Must-read Books," *The Guardian*, 1 Oct. 2013, <https://www.theguardian.com/books/2013/oct/01/david-bowie-books-kerouac-milligan>.（二〇二〇年七月一二日閲覧）

［2］ 「アメリカマニア」というボウイの言葉は、以下に引用されている。Wendy Leigh, *Bowie: The Biography*, New York: Gallery Books, 2014, p.31.

［3］ Martin Kirkup, "Diamond Dogs," *Sounds*, 4 May 1974. rpt. in Roger Griffin, *David Bowie: The Golden Years*, London: Omnibus, 2016, p.212.

［4］ Dylan Jones, *David Bowie: The Oral History*, London: Windmill, 2017, p.210.

［5］ David Buckley, *Strange Fascination: David Bowie: The Definitive Story*, London: Virgin, Revised ed., 2005, p.157.

［6］ 「ロックンロール・ミュージックのもっともエキサイティングなことは、それが折衷主義的だということだ。こいつは、あらゆるところから借り物をしてくる！（笑）」（「ジギー・スターダストはロスにウッチャってきたよ――デヴィッド・ボウイー・インタヴュー」『レコード・コレクターズ』二〇一六年三月号、五四頁）。

［7］ Legs McNeil and Gillian McCain, *Please Kill Me: The Uncensored Oral History of Punk*, New York: Penguin, 1997, p.48.

［8］ Nicholas Pegg, *The Complete David Bowie*, London: Titan, 2016, p.160.

［9］ この暴動については、次の書物を参考にしている。Sidney Fine, *Violence in the Model City: The Cavanagh Administration, Race Relations, and the Detroit Race Riot of 1967*, East Lansing: Michigan State UP, 2007.

［10］ この指摘は、次の書物による。Suzanne E. Smith, *Dancing in the Street: Motown and the Cultural Politics of Detroit*, Cambridge, MA: Harvard UP, 1999, p.171.

［11］ Smith, *Dancing*, pp.1–2.

［12］ Peter Doggett, *The Man Who Sold the World: David Bowie and the 1970s*, London: Vintage, 2012, p.164.

［13］ Grace Elizabeth Hale, *A Nation of Outsiders: How the White Middle Class Fell in Love with Rebellion in Postwar America*, Oxford: Oxford UP, 2014, p.217.

［14］ Matthew J. Bartkowiak, *The MC5 and Social Change: A Study in Rock and Revolution*, Jefferson, NC: McFarland, 1979, pp.131–132. ジョン・シンクレアは二〇二〇年現在存命で、ホームページには“Poetry is Revolution”というバナーのもとにたくさんの詩が集められている。

［15］ この経緯については以下を参照。Jon Wiener, *Come Together: John Lennon in His Time*, New York: Random House, 1984, pp.187–196.

［16］ デビッド・ボウイ『オディティ――デビッド・ボウイ詩集』北沢杏里編訳、シンコーミュージック、一九八五年、五三頁。

［17］ McNeil, *Please*, p.48.

[18] Sean Egan, *Bowie on Bowie: Interviews and Encounters with David Bowie*, Chicago: Chicago Review P, 2015, p.72.

[19] パオロ・ヒューイット『デヴィッド・ボウイ――コンプリート・ワークス』大田黒奉之訳、TOブックス、二〇一三年、一三〇頁。

[20] Buckley, *Strange*, p.221.

第五章　すべての荒廃の後で

[1] 「ジャームッシュ回顧録」『映画監督ジム・ジャームッシュの歴史』ルドヴィグ・ヘルツベリ編、三浦哲哉訳、東邦出版、二〇〇六年、二二九頁。

[2] 「パラダイスは、ない」『映画監督ジム・ジャームッシュの歴史』ルドヴィグ・ヘルツベリ編、三浦哲哉訳、東邦出版、二〇〇六年、三二―三三頁。

[3] 「ミステリー・マン」『映画監督ジム・ジャームッシュの歴史』ルドヴィグ・ヘルツベリ編、三浦哲哉訳、東邦出版、二〇〇六年、一六三―一六四頁。

[4] ジョン・アーリ『場所を消費する』吉原直樹・大澤善信監訳、法政大学出版、二〇〇三年。

[5] 東浩紀は近著『ゲンロン0』において、観光を彼がデリダから抽出した概念である「誤配」と結び付けて論じているが、ここではエルヴィスの亡霊が「誤配」されたということになるだろう。この点にとどまらず、本稿は東が近年展開している観光論に触発されているところがあることを記しておきたい。東浩紀『ゲンロン0――観光客の哲学』ゲンロン、二〇一七年。

[6] 「パッカード・プラント・プロジェクト」については、ウェブサイトを参照。もちろん、建造物の歴史的重要性に配慮した計画が立てられている。"The Packard Plant Project," <http://packardplantproject.com/index.html>.（二〇二〇年九月一〇日閲覧）。

[7] "Paterson Great Falls——National Historical Park New Jersey," *National Park Service, U. S. Department of the Interior*, <https://www.nps.gov/pagr/learn/historyculture/the-birthplace-of-the-american-industrial-revolution.htm>.（二〇二〇年八月六日閲覧）

[8] William Carlos Williams, *Paterson*, New York: New Directions, p.9.

第六章 記憶の揺曳／揺曳の記憶

作品中の登場人物の日本名表記は、それぞれの作品の日本語訳に準じている。

[1] カズオ・イシグロ『わたしを離さないで』土屋政雄訳、ハヤカワepi文庫、二〇〇八年、一一二頁（以後本書からの引用頁は本文中の括弧内に示す。なお訳文は細かい変更を加えていることがある）。

[2] この場面において「音楽に合わせて体を揺する」キャシーの姿は、マダムの記憶に確かに存在していることが確かめられる。しかし、相手の「心を読む」のはキャシーである。ここで二人が同じ過去の一場面を思い起こしていることは、人間とクローンの間の埋められない溝の存在をかえって照射することに繋がり、イシグロ特有の物語的残酷さが示されている。

[3] たとえば次のような最初期の書評において、すでに指摘されている。Anthony Thwaite, "Ghosts in the Mirror," *Observer*, 14 Feb. 1982, p.33.

[4] 初期イシグロ作品における「子殺し」のモチーフについては遠藤の以下の個所を参照。遠藤不比人「とくに最初の二楽章が……——カズオ・イシグロの〈日本／幼年期〉をめぐって」『水声通信』第二六号、二〇〇八年、一〇五頁。

[5] カズオ・イシグロ『遠い山なみの光』小野寺健訳、ハヤカワepi文庫、二〇〇一年、六四頁（以後本書からの引用頁は本文中の括弧内に示す）。

［6］カズオ・イシグロ『わたしたちが孤児だったころ』入江真佐子訳、ハヤカワepi文庫、二〇〇六年、一〇九頁。

［7］この点については、以下に指摘がある。中川僚子「廃物を見つめるカズオ・イシグロ——ゴミに記憶を託す」『水声通信』第二六号、二〇〇八年、九四頁。

［8］もちろん、我々の立場をキャシーと単純に重ねることには問題がある。アン・ホワイトヘッドは、「イシグロは故意に私たちのキャシーやほかのクローンへの同一化を攪乱し、私たちはこの提供システムから利益を得る側に近いのではないかという居心地の悪い問いを発する」と適切に指摘している。Anne Whitehead, "Writing with Care: Kazuo Ishiguro's *Never Let Me Go*," *Contemporary Literature*, 52.1 (2011), p.58. なお同論文には現在、以下の邦訳および訳者解題が存在する（アン・ホワイトヘッド「気づかいをもって書く——カズオ・イシグロ『わたしを離さないで』」三村尚央訳『カズオ・イシグロ『わたしを離さないで』を読む——ケアからホロコーストまで』田尻芳樹・三村尚央編、水声社、二〇一八年、五五—八八頁）。

第七章 「稲妻（の速さ）で歴史を書く」

［1］Reserve Channel, "Spike Lee Shows NYU The Answer | Ep. 9 Part 1, Segment 4/4 ARTST TLK," *YouTube*. 8 Oct. 2013, <https://www.youtube.com/watch?v=4q5PX4joOyg>.（二〇二〇年八月七日閲覧）

［2］Kaleem Aftab, *Spike Lee: That's My Story and I'm Sticking to It*, New York: Norton, 2006, p.22.

［3］一九九七年の *4 Little Girls* という作品も、リーのKKKへの取り組みの一つである。この作品は、公民権運動のただなかにあった一九六三年、黒人の多く通う教会に地元のKKKによって仕掛けられた爆弾で四人の少女が死亡した事件について被害者の家族のインタヴューを中心に構成したドキュメンタリーであり、彼がニューヨーク大学に入学したばかりのころに一度企画しながら被害者の父親に取材を断られたという経緯がある。

［4］このような集会にリアリティを持たせるために、リーは実際の潜入捜査が行われた一九七八—七九年を映画で

は一九七二年の設定にずらしている（丸屋九兵衛「解説に代えて――フォビアとは「嫌悪」と同時に「恐怖」の意味であって」、ロン・ストールワース『ブラック・クランズマン』鈴木沓子・玉川千絵子訳、ＰＡＲＣＯ出版、二〇一九年、二五六頁）。

［5］映画内で老人は“It is a history written with lightening”と発言している。ウィルソンの発言とされてきた言葉には、いくつかのヴァリエーションがある。

［6］Wyn Craig Wade, *The Fiery Cross: Ku Klux Klan in America*, Oxford: Oxford UP, 1998, pp. 125–126.

［7］Melvyn Stokes, *D. W. Griffith's* The Birth of a Nation: *A History of "The Most Controversial Motion Picture of All Time"*, Oxford: Oxford UP, p.111. ウィルソンがなぜ／何を「残念に思う」のかも曖昧でありこの言葉の「不確かさ」の度合いを高めているのだが、この考察には別稿を必要とする。

［8］Mark E. Benbow, "Birth of a Quotation: Woodrow Wilson and 'Like Writing History with Lightning," *The Journal of the Gilded Age and Progressive Era*, 9:4 (2010), pp.509–533.

［9］Benbow, "Birth," p.521.

［10］Benbow, "Birth," p.523.

［11］Stokes, *D. W. Griffith's*, pp.203–204.

［12］Stokes, *D. W. Griffith's*, p.205.

［13］Stokes, *D. W. Griffith's*, p.126.

［14］Stokes, *D. W. Griffith's*, pp.198–199.

［15］Stokes, *D. W. Griffith's*, p.30.

［16］Joel Williamson, *The Crucible of Race: Black-White Relations in the American South Since Emancipation*, Oxford: Oxford UP, pp.157–158.

［17］ディクソンは一九一五年の夏に「ディクソン・スタジオ」を設立し、すぐに『國民の創生』の続篇、『国家の没落』を監督している。Stokes, *D. W. Griffith's*, p.268.

［18］Benbow, "Birth," p.513.

[19] ディクソンの小説『クランズマン』に添えられた挿画の原映画的な活劇性とその『國民の創生』への影響については、次の論考を参照。Adam Sonstegard, "Thomas Dixon and the Graphic Illustration before *The Birth of a Nation*," *Word & Image*, 34.3 (2018), pp.268–280.

[20] Walter Scott, *The Lady of the Lake*, Ed. William J. Rolfe, 1883, Penn State Electronic Classics Series, 2002, p.42, <http://books.ebooklibrary.org/members/penn_state_collection/psuecs/lady-lake.pdf>.（二〇二〇年八月八日閲覧）

[21] Sophie Abramowitz, Eva Latterner, and Gillet Rosenblith, "Tools of Displacement: How Charlottesville, Virginia's Confederate Statues Helped Decimate the City's Successful Black Communities," *SLATE*, 23 June 2017, <https://slate.com/news-and-politics/2017/06/how-charlottesvilles-confederate-statues-helped-decimate-the-citys-historically-successful-black-communities.html>.（二〇二〇年八月七日閲覧）

[22] アメリカ南部諸州における南部の英雄像の建設は一九一〇年前後にピークを迎えており、『國民の創生』を人種差別的な象徴の源泉とすることは事態を単純化することにつながるだろう。旧南部をノスタルジックに美化する傾向は一八九〇年代には始まっていた。Karen E. Fields and Barbara J. Fields, *Racecraft: The Soul of Inequality in American Life*, London: Verso, 2012, p.163.

[23] Woodrow Wilson, "Robert E. Lee: An Interpretation," *The Journal of Social Forces*, 2.3 (1924), p.323.

[24] Wilson, "Robert E. Lee," p.328.

第八章　「デュマは黒人だ」

[1] 『ジャンゴ』が公開された二〇一二年末のインタヴューにおいて、タランティーノは脚本を上映のためのテクストではなく、独立した文学作品として成立するものとして書いていると述べているが、このような創作姿勢は近年の作品の構成の緊密さに大きな影響を与えているだろう。"Quentin Tarantino: 'My Scripts Are Novels,'" 13 Dec.

2012, *BBC News*, <https://www.bbc.com/news/entertainment-arts-20711077>.（二〇二〇年八月九日閲覧）

［2］デリンジャー銃の使用は、『ジャンゴ』におけるアナクロニズムの一つであり、一八六六年に初めて製造されている。タランティーノの敬愛するセルジオ・レオーネ監督の『夕陽のガンマン』（一九六五）へのオマージュと見るべきだろう。

［3］この楽劇の初演は一八七六年なので、ここでのシュルツの語りは時代設定の不整合の一つである。

［4］ウィリアム・ブラウンは、この場面について、ブルームヒルダがシュルツからコップの水を受け取るときに指がグラスに触れる音がすることを鋭く指摘している。これは自然の音ではありえず、編集の段階で足された音だが、それによって彼女が緊張から神経をとがらせていることが表現されている。William Brown, "Value and Violence in *Django Unchained*," *Quentin Tarantino's Django Unchained: The Continuation of Metacinema*, Oliver C. Speck ed., New York: Bloomsbury, 2014, p.172.

［5］《エリーゼのために》はベートーヴェンの死後に発見され、一八六七年に出版されているため、ここで演奏されているのはまたも時代錯誤的である。

［6］前作『イングロリアス・バスターズ』の冒頭で、ヴァルツの演じる「ユダヤ・ハンター」であるナチスのランダ大佐が現れるときに流れるのも《エリーゼのために》であり、間映画的な観点からの考察が可能である。

［7］字幕翻訳者は「黒人だ」のところを「黒人系だ」としているが、不要な遠慮と言わざるをえない。シュルツのセリフは"Dumas is a black."であり、紛れのない断言である。

［8］Ken Williams, "Quentin Tarantino Inglourious Basterds Interview," *Quentin Tarantino Interviews*, Gerald Peary ed., Jackson: U of Mississippi P, 2013, p.147.

［9］ジェイミー・バーナード『タランティーノ・バイ・タランティーノ』島田陽子訳、ロッキング・オン、一九九五年、二〇頁。

［10］この文脈において『ジャンゴ　繋がれざる者』という邦語タイトルの意味的な問題点を指摘しておかなければならない。原題 *Django Unchained* は、パーシー・ビッシュ・シェリーの『鎖を解かれたプロメテウス（*Prometheus*

Unbound)』を連想させるものとなっており、主題的にも火を盗んで人間にもたらしたプロメテウスと燃えさかるカルヴィン屋敷をあとにするジャンゴには共通するところがある。また、シュルツによって鎖を解かれたジャンゴが、終盤で馬から重い馬具を外すのは「自由」の主題の反復といえ、その点からも『鎖を解かれたジャンゴ』という逐語訳なら生じるだろうニュアンスは重要である。

第九章　深い皮膚

［1］作品発表後の二〇一六年二月の講演で、モリスンは本作のもともとのタイトルは『子供たちの怒り』（*The Wrath of Children*）であり、『神よ、あの子を守りたまえ』というタイトルは嫌いだ、と明言している。Angela Chen, "Toni Morrison on Her Novels: 'I Think Goodness Is More Interesting'," *The Guardian*, 4 Feb. 2016, <https://www.theguardian.com/books/2016/feb/04/toni-morrison-god-help-the-child-new-york?CMP=twt_books_b-gdnbooks>.（二〇二〇年八月九日閲覧）このタイトルは、作品最後の一文から取られているのは明白だが、この言葉がスウィートネスによって語られているという事実によって生じるアイロニーはうまく伝わらない。

［2］Roxane Gay, "God Help the Child by Toni Morrison: Review – 'Incredibly Powerful'," *The Guardian*, 29 Apr. 2015, <https://www.theguardian.com/books/2015/apr/29/god-help-the-child-toni-morrison-review-novel>.（二〇二〇年八月九日閲覧）

［3］特に、ロン・チャールズの以下の論はかなり厳しく作品の平板さを批判している。Ron Charles, "Toni Morrison's Familiar, Flawed 'God Help the Child'," *Washington Post*, 14 April 2015, <https://www.washingtonpost.com/entertainment/books/toni-morrisons-familar-flawed-god-help-the-child/2015/04/14/6cde0cfe-dec6-11e4-a500-1c5bb1d8ff6a_story.html>.（二〇二〇年八月九日閲覧）

［4］Deesha Philyaw, "'God Help the Child': Toni Morrison's 11th Novel Revisits Themes of 'The Bluest Eye,' Her First," *Pittsburgh Post-Gazette*, 19 Apr. 2015, <https://www.post-gazette.com/ae/books/2015/04/19/God-Help-the-Child-Toni-Morrison-s-11th-

novel-revisits-themes-of-The-Bluest-Eye-her-first/stories/201504190012>.（二〇二〇年八月九日閲覧）

［5］トニ・モリスン『「他者」の起源――ノーベル賞作家のハーバード連続講演録』荒このみ訳、集英社新書、二〇一九年、八五頁。

［6］トニ・モリスン『神よ、あの子を守りたまえ』大社淑子訳、早川書房、二〇一六年、九頁。以下、同書からの引用は、本文中の括弧内に頁数を付す。

［7］風呂本惇子の指摘するように、ブライドがこのような証言をしたもう一つの理由は、彼女が六歳のときに、「家主リーの、小さな男の子に対する性犯罪行為を目撃し」たことである。このことは、幼少期のトラウマ的な体験が予期せぬ形の帰結を取りうることを示唆している（風呂本惇子「連鎖を解く力――『神よ、あの子を守りたまえ』における「母代わり」の意味」『新たなるトニ・モリスン――その小説世界を拓く』風呂本惇子・松本昇他編、金星堂、二〇一七年、二二三頁）。なお風呂本の論考は、本稿と同様に、『神よ、あの子を守りたまえ』と『青い眼が欲しい』の「共振」を論じている。

［8］Charles, "Toni Morrison's."

［9］Toni Morrison, "Goodness: Altruism and the Literary Imagination," *The New York Times*, 7 August 2019 <https://www.nytimes.com/2019/08/07/books/toni-morrison-goodness-altruism-literary-imagination.html>.（二〇二〇年八月九日閲覧）この講演は以下のサイトで視聴可能である。Toni Morrison, "Goodness: Altruism and the Literary Imagination," *YouTube*, Harvard Divinity School, 14 Dec. 2012, <https://www.youtube.com/watch?v=PJmVpYZnKTU>.（二〇二〇年八月九日閲覧）

［10］トニ・モリスン『青い眼が欲しい』大社淑子訳、ハヤカワepi文庫、二〇〇一年、七四頁。

［11］同書、九二頁。

［12］同書、一七九頁。

［13］一九七〇年代の肌の黒さを積極的な価値に変える運動の盛り上がりに対するモリスンの見方については、訳者である大社淑子が『神よ、あの子を守りたまえ』のあとがきで触れており、一九七四年の彼女の講演を引用しながら、モリスンが「人々が表面的な美しさに捉われている傾向に警鐘を鳴らした」と指摘している（大社淑子「訳

者あとがき」、トニ・モリスン『神よ、あの子を守りたまえ』大社淑子訳、早川書房、二〇一六年、二三四頁)。

第一〇章　接続された身体のメランコリー

[1] Don DeLillo, *The Body Artist*, New York: Scribner, 2001, p.38.（ドン・デリーロ『ボディ・アーティスト』上岡伸雄訳、新潮社、二〇〇二年、四〇頁）以下、日本語訳からの引用は括弧内に頁を示す。ただし本論文中の引用は、訳書を参考に適宜改訳してある。

[2] Don DeLillo, *Americana*, New York: Penguin, 1990. この点については以下の論文を参照。Frank Lentricchia, "Tales of the Electronic Tribe," *New Essays on White Noise*, Ed. Frank Lentricchia, Cambridge: Cambridge UP, 1991, pp.87-113.

[3] Don DeLillo, *White Noise*, New York: Penguin, 1998, p.66.（ドン・デリーロ『ホワイト・ノイズ』森川展男訳、集英社、一九九三年、七三頁）

[4] Samuel Weber, *Mass Mediauras: Form, Technics, Media*, Stanford: Stanford UP, 1996, p.117.

[5] Don DeLillo, *Underworld*, New York: Scribner, 1997, p.825.（ドン・デリーロ『アンダーワールド（下）』上岡伸雄・高吉一郎訳、新潮社、二〇〇二年、六〇〇頁）

[6] Delillo, *Underworld*, p.824.（五九九頁）

[7] Frances Cairncross, *The Death of Distance: How the Communications Revolution is Changing*, 2nd Ed, Cambridge: Harvard Business School Press, 2001. なお、このような観点からの先駆的な研究としては、Joshua Meyrowitz, *No Sense of Place: The Impact of Electronic Media on Social Behavior*, New York: Oxford UP, 1985.

[8] これに近い立場からトレヴァー・ウェストモアランドは、デリーロが「現代において人間の時間と空間の経験が急速に変化しているという感覚を探究している」と指摘している。Trevor Westmoreland, "Shaking the Foundations:

Place, Embodiment, and Compressed Time in Don DeLillo's 'The Ivory Acrobat," *Critique: Studies in Contemporary Fiction*, 61.1(2020), p.115.

［9］「喪とメランコリー」伊藤正博訳『フロイト全集』第一四巻、岩波書店、二〇一〇年、二七七頁。

［10］Nigel Thrift, "Remembering Technological Unconscious by Foregrounding Knowledges of Position," *Environment and Planning D: Society and Space*, 22 (2004), pp.175–190.

［11］たとえば、ローレンのトラウマに焦点を当てて作品を論じた Laura di Prete, *"Foreign Bodies": Trauma, Corporeality, and Textuality in Contemporary American Culture*. New York: Routledge, 2006, pp.87–108 を参照。

［12］この小説における「所有」という概念の重要性については、すでにマーク・オスティーンの指摘があるが、ローレンのメランコリーとは結び付けられていない。Mark Osteen, "Echo Chamber: Undertaking *The Body Artist*," *Studies in the Novel* 37.1 (2005), p.66.

［13］N. Katherine Hayles, *How We Became Posthuman: Virtual Bodies in Cybernetics, Literature and Informatics*, Chicago: U of Chicago P, 1999, p.34.（N・キャサリン・ヘイルズ「ヴァーチャルな身体と明滅するシニフィアン」滝浪佑紀訳、『表象』第二号、二〇〇八年、八九頁）

［14］DeLillo, *Body*, p.19.（一八―一九頁）

［15］Laura E. Tanner, *Lost Bodies: Inhabiting the Borders of Life and Death*, Ithaca: Cornell UP, 2006, p.156.

［16］DeLillo, *Body*, p.23.（二三頁）

［17］DeLillo, *Body*, p.8; p.12.（五頁、一〇頁）

［18］DeLillo, *Body*, p.27.（二七頁）強調は原文。

［19］DeLillo, *Body*, p.29.（二九頁）論者による強調。

［20］DeLillo, *Body*, p.28.（二八頁）

［21］DeLillo, *Body*, p.36.（三八頁）

［22］DeLillo, *Body*, p.59.（六七―六八頁）

［23］ DeLillo, *Body*, p.94.（一一四頁）
［24］ DeLillo, *Body*, p.10.（八頁）
［25］ DeLillo, *Body*, p.11.（九頁）
［26］ DeLillo, *Body*, p.12.（一〇頁）
［27］ Slavoj Žižek, *The Plague of Fantasies*, London: Verso, 1997, pp.134–135.（スラヴォイ・ジジェク『幻想の感染』松浦俊輔訳、青土社、一九九九年、二〇三―二〇四頁）
［28］ DeLillo, *Body*, p.58.（六六頁）
［29］ Martin Heidegger, *Die Tecknik und die Kehre*, Pfullingen: Günther Neske, 1962, pp.1–36.（M・ハイデッガー『技術への問い』関口浩訳、平凡社、二〇〇九年、七―六〇頁）
［30］ Jay David Bolter and Richard Grusin. *Remediation: Understanding New Media*. Cambridge, MA: MIT P, 2000, ch.1, "Immediacy, Hypermediacy, and Remediation," pp.21–50. ボルターとグルーシンは「再メディア化」の二重のロジックは、ハイパーメディアの普及と直接性への欲望が同時的なものであることに存しているという。この議論に焦点をしぼった論考として、Jay David Bolter, "Remediation and the Desire for Immediacy," *Convergence: The International Journal of Research into New Media Technologies*, 6 (2000), pp.62–71. を参照。
［31］ DeLillo, *Body*, p.39.（四一頁）
［32］ DeLillo, *Body*, p.38.（四〇頁）
［33］ DeLillo, *Body*, p.39.（四一頁）
［34］ Henri, Bergson, *Essai sur les données immédiates de la conscience*, Paris: Presses universitaires de France, 1945, ch.2.（アンリ・ベルクソン『意識に直接与えられたものについての試論』合田正人・平井靖史訳、ちくま学芸文庫、二〇〇二年、第二章）
［35］ DeLillo, *Body*, p.45.（四九頁）
［36］ DeLillo, *Body*, p.45.（四八頁）

［37］ DeLillo, *Body*, pp.44–45; p.66.（四八頁、七七頁）

［38］ DeLillo, *Body*, pp.91–92.（一一一頁）

［39］ Laura di Prete, *"Foreign Bodies": Trauma, Corporeality, and Textuality in Contemporary American Culture*. New York: Routledge, 2006, p.91.

［40］ DeLillo, *Body*, p.71.（八二頁）注意深くもOsteenはこの"Do Rey Make me hear him"が「ド・レ・ミ」を含んだ言葉遊びになっていることを指摘している。Osteen, "Echo," p.73.

［41］ DeLillo, *Body*, p.68.（七九頁）

［42］ Anne Longmuir, "Performing the Body in Don DeLillo's *Body Artist*," *Modern Fiction Studies*, 53.3 (2007), p.535.

［43］ DeLillo, *Body*, p. 81, p.85, p.98, p.100.（九六頁、一〇一頁、一二〇頁、一二一頁）

［44］ DeLillo, *Body*, p.100.（一二一頁）

［45］ DeLillo, *Body*, p.85.（一〇一—一〇二頁）

［46］ DeLillo, *Body*, p.87–88.（一〇四—一〇五頁）

［47］ イザベル・ウェントワースは作品の同じ個所に注目し、ローレンの分裂を彼女のタトルとの交流による時間感覚の揺らぎの体現として説得的に読解している。Isabelle Wentworth, "'Body Time': A Cognitive Perspective on Don DeLillo's *The Body Artist*," *Poetics Today*, 40.4 (2019), pp.699–720.

［48］ DeLillo, *Body*, p.105.（一二七頁）

［49］ アントナン・アルトー「残酷の演劇（第一宣言）」『演劇とその分身』鈴木創士訳、河出文庫、二〇一九年、一五二頁、一四五頁。

［50］ Ross Farnell, "In Dialogue with 'Posthuman' Bodies: Interview with Stelarc," in Mike Featherstone Ed., *Body Modifications*, London: Sage, 2000, p.140.

［51］ Sarah Ahmad and Jackie Stacey, *Thinking thorough the Skin*, London: Routledge, 2001, p.34.

［52］ DeLillo, *Body*, p.109.（一三二頁）

初出一覧（いずれの章にも加筆修正が施されている）

序論　書き下ろし

第一章　「構造と落下――『インセプション』における重力」『ユリイカ』「特集＊クリストファー・ノーラン」二〇一二年八月号、青土社、一八四―一九七頁

第二章　「背後の世界、あるいはあらかじめ喪われているものの彼方へ――ルー・リードとデルモア・シュウォーツ」『ユリイカ』「特集＊ルー・リード」二〇一四年一月号、青土社、一八七―一九五頁

第三章　「星条旗の（黒い）星のもとに――デヴィッド・ボウイと「アメリカ」」『ユリイカ』「特集＊デヴィッド・ボウイ」二〇一六年四月号、青土社、一四六―一五五頁

第四章　書き下ろし

第五章　「すべての荒廃の後で――アクロン、メンフィス、デトロイト、そしてパターソン」『ユリイカ』「特集＊ジム・ジャームッシュ」二〇一七年九月号、青土社、一七五―一八三頁

第六章　「水につなぎ留められた反響――カズオ・イシグロ『わたしを離さないで』における記憶の揺曳」『ユリイカ』

「特集＊カズオ・イシグロ」二〇一七年一二月号、青土社、一八六―一九六頁

第七章　「「稲妻（の速さ）で歴史を書く」――『國民の創生』と『ブラック・クランズマン』における引用、真実、歴史」『ユリイカ』「特集＊スパイク・リー」二〇一九年五月号、青土社、六三―七二頁

第八章　「「デュマは黒人だ」――『ジャンゴ 繋がれざる者』における奴隷制度とその外部」『ユリイカ』「特集＊クエンティン・タランティーノ」二〇一九年九月号、青土社、一二〇―一二九頁

第九章　「深い皮膚――『神よ、あの子を守りたまえ』における商品化された「黒さ」と触覚的身体」『ユリイカ』「特集＊トニ・モリスン」二〇一九年一〇月号、青土社、一一三―一二三頁

第一〇章　「接続された身体のメランコリー――ドン・デリーロの『ボディ・アーティスト』」『表象』第五号、表象文化論学会、二〇一一年、二〇八―二二六頁

あとがき

初出一覧で示したように、本書に収められた一〇のうち八の論考は、二〇一一年から二〇一九年にかけて、主として青土社の雑誌『ユリイカ』に掲載されたものをもとにしている。これらについては、章を追って発表時の時系列順に並べてある。残りの二つの章は、二〇一六年の表象文化論学会におけるシンポジウムでの口頭発表をもとにした第四章と、同じく表象文化論学会の発行する学会誌に二〇一一年に掲載された論文を基礎とする第一〇章である。一番早い時期に書いたデリーロ論を、本書の末尾においた理由は二つある。一つは、これが学術誌への投稿を念頭においた、最も生硬な文体で書かれているからだ。デリーロの『ボディ・アーティスト』を読んだことのある人は限られるであろうし、一つ目の論文から読者を置き去りにしてしまうことを怖れたのである。代わりに第一章に置かれたノーラン論は、導入に適していると考えた。

もう一つの理由は、序論で描写した二〇二〇年時点でのコロナ禍の状況と、デリーロが『ボディ・アーティスト』で描いた主人公ローレンの状況が奇妙に符合するように思われ、この論考がいわばイントロに呼応するアウトロとなるように感じられたからだ。夫の死を受け入れることのできないローレンは、カミュの『ペスト』でいうところの「自宅への流刑」を自らに課しているのであり、彼女はインターネットを通じてのみ外の世界と繋がり、触覚的な経験から疎外されている。このような彼女の行動様式は彼女の心的状況のもたらした帰結であるが、これが、二〇二〇年において「正しい」ものであると考えられるようになるとは誰が予測したであろうか。そしてまた、彼女のメランコリーがより広く世界の人々に共有されるものになるとは。序論と第一〇章の二つの文章は、ネット社会における主体の喪失と解体についての議論となっている。

『ユリイカ』掲載時の論稿は、その都度一ヵ月ほどの短い執筆期間の中で書き上げたものである。大学の授業期間中などでは執筆に取れる時間は数日に限られることもあり、学術論文を書くときのような入念なリサーチを行うことは出来ない。また、多くの場合は自分が専門的に研究してきた二〇世紀前半の英米文学とは無関係のトピックであり、作品を読んだり鑑賞したりするところから始めなければならない。『ユリイカ』に論文を掲載していると、あたかも流行りの音楽や映画に通じた人間のように思われることがあるが、私の場合は決してそのようなことはなく、いつも与えられたお題について泥縄の勉強を始め、生半可な知識や理解のまま、執筆にとりかかるということが繰り返されてきたのだ。デヴィッド・ボウイのような熱烈なファンの多い人物について書くときなどは、私のような者が書いていいのだろうかという疑念と、書くからにはファンの人たちを満足させるようなものを書かなければならないという使命感にとりつかれていた。

では、そのようにして書かれた論稿が、長い時間をかけて慎重に書かれた学術論文よりも、読み物として劣ったものとなるかと言うと、決してそのようなことはないと思う。たしかに、学術的な意味での不徹底や不用意な断定はあるかもしれない。しかし、これらの論稿の中には、このように追い詰められでもしなければ生まれなかったような勢いとリズムがたしかに息づいており、それは自己の知らなかった自己の一面の表出であるのだ。「書く」という行為は、國分功一郎の言葉を借りれば「中動態」的な行為である。外からテーマと字数制限と締め切りを投げ与えられ、それに対して呻吟しながらなんとか球を投げ返すことによって発見される表現があるのだ。そのような表現の内に聞き取られる要素の一つは、前著『触れることのモダニティ』やその著書のもととなった博士論文の残響であり、議論が時として接触や触覚をめぐるものへと進んでいくのは、私という著者に特徴的な性質である。しかし、触覚性はそのメディア的な「接続性」への置換という序論で触れた論点において、現代ならびに未来の文化・文明を思考する上で間違いなく重要であるという時代認識もまた持っている。この点に限らず、文化・社会的状況は書き手の意識や無意識に働きかけるものであり、これらの論稿には二〇一〇年代の特徴が刻まれているだろう。

本書が出来上がるまでに多くの方々のお世話になった。二〇一六年の表象文化論学会のデヴィッド・ボウイをめぐるシンポジウム「デヴィッド・ボウイの宇宙を探査する」の司会であった北村紗衣氏、登壇された當間麗氏、田中純氏、ならびにコメンテーターの佐藤良明氏に心から感謝をしたい。本書の二つ目のボウイ論は、このシンポジウムなしには成立しなかった。大学と大学院時代の同窓である貞廣真紀氏は、本書所収のノーラン論を読んで明治学院大学の授業に招いてくれた。また、勤務校の関西学院大学における遠隔授業の経験は、序論の執筆に必要な経験であった。ゼミをはじめとする授業の受講生に感謝したい。本書を完成させる段階においては、阿部幸大氏、安保夏絵氏、近藤祐樹氏が初稿を読み、たいへん有益な指摘をくれた。

本書だけでなく、私のすべての『ユリイカ』掲載論文の担当編集者である明石陽介氏からは、毎回の入念な原稿のチェックから多くのことを学ばせていただいた。明石氏との八年半にわたる共同作業の成果としての本書を、明石氏の編集によって青土社から出版することが出来たのは望外の喜びである。

二〇二一年一月

高村峰生（たかむら・みねお）

1978年東京生まれ。東京大学文学部人文社会系研究科博士課程単位取得満期退学。イリノイ大学アーバナ・シャンペーン校で博士号を取得（Ph.D in Comparative Literature, 2011年）。現在、関西学院大学国際学部教授。専門は20世紀の英米文学・文化、および比較文学／表象文化論。著書に『触れることのモダニティ――ロレンス、スティーグリッツ、ベンヤミン、メルロ＝ポンティ』（以文社、2017年、第9回表象文化論学会賞）。共著に『文学理論をひらく』（木谷厳編・北樹出版、2014年）、『メディアと帝国』（塚田幸光編・小鳥遊書房、2021年）など。『英文学研究』、『表象』、『ユリイカ』などに論文やエッセイを発表している。

接続された身体のメランコリー
〈フェイク〉と〈喪失〉の21世紀英米文化

2021年4月1日　第1刷印刷
2021年4月14日　第1刷発行

著者｜高村峰生

発行者｜清水一人
発行所｜青土社
東京都千代田区神田神保町1-29　市瀬ビル　〒101-0051
［電話］03-3291-9831（編集）　03-3294-7829（営業）
［振替］00190-7-192955

印刷・製本｜シナノ印刷

装幀・本文組版｜北岡誠吾

ISBN 978-4-7917-7365-7　Printed in Japan